INHALT

VORWORT

„Selig die Menschen, denen Kraft kommt von Dir, die sich zur Wallfahrt entschließen." (Psalm 84, 6)

Martin Luther: Detail des Cranach-Altars in der Stadtkirche St. Marien, Wittenberg, 1547

Der Mönch Martin Luther. Keine Persönlichkeit der Kirche in Deutschland hat so folgenreich gewirkt wie der Reformator aus Wittenberg. Unbestritten ein streitbarer Mensch. Ein Mensch seiner Zeit, damalig, verwurzelt und sehr präsent. Doch ist Martin Luther dabei nicht nur eine historische, ferne Figur: Er hinterließ Spuren, die über die Jahrhunderte hinweg auch in der Gegenwart stärker wirksam sind, als den meisten Menschen bewusst ist. Luthers Leben klingt nach, ein Echo durch die Hallen der Geschichte, das mal lauter, mal leiser zu hören ist. Und dabei kann lange nicht alles, was aus seiner Zeit und aus seinem Wirken bis heute an uns heranklingt, mitgesungen werden. Ein widersprüchlicher Mensch war Luther. Er steht für chrliche Theologie, lebensnahe Frömmigkeit und aufrichtiges Ringen um ein rechtes Sein vor Gott. Aber auch für schärfste Polemik, politische Unachtsamkeit und unkritische Endzeitstimmung. Im Laufe der Geschichte wurde er vereinnahmt,

Unterwegs mit Martin Luther –
auf einem Feld bei Stotternheim änderte sich alles für ihn

verzerrt, dämonisiert, überhöht, glorifiziert und instrumentalisiert. Und heute? Man rüstet sich für das Reformationsjubiläum: Luther 2017. Als Luther seine 95 Thesen gegen den Missbrauch des Ablasshandels veröffentlichte, ahnte er nicht, dass damit ein Umwälzungsprozess einsetzen würde, der die Welt verändern sollte.

Aber wie sollten seine Schriften auch ohne Auswirkungen bleiben? Die Zeichen der Zeit standen auf Reform. Die Einheit der Kirche war längst zerbrochen, denn sie war nur durch Zwang aufrechtzuerhalten.

Der Lebensweg Martin Luthers vollzog sich bis auf die vereinzelten Reisen im Bereich der heutigen Länder Thüringen, Sachsen und Sachsen-Anhalt. Nördlicher als Magdeburg ist Luther nie gekommen, und seine weiteste Reise war die nach Rom. Dorthin schickte ihn die Ordensleitung, um über interne Reformanliegen zu beraten. Eine Wallfahrt an die Gräber der Apostel sollte es auch sein. So begann alles mit einem Pilgerweg, und das sollte es auch bleiben. „Wir sind Bettler, das ist wahr!", sollen die letzten Worte gewesen sein, die Luther geschrieben hat, bevor er für immer die Augen schloss. Ein Mann, auf dem Weg, auf der Suche nach Gott. Ein Pilger. Nun ein Buch in Händen zu halten, das einige der Städte, die für Luther auf seinem Lebensweg wichtig waren, so abzubilden versucht, dass man nach Thüringen, nach Sachsen und nach Sachsen-Anhalt pilgern wolle, mag wohl auf den ersten

Blick etwas ungewöhnlich erscheinen. Evangelische Christen pilgern nicht! Oder doch? Die Reformation hat das Wallfahren abgeschafft! Etwa nicht? Ja, und katholische Pilger gehen nicht nach Wittenberg! Oder doch?

Um des Heils – allein aus dem Glauben an Christus – willen verstanden die Reformatoren solcherlei religiöse Übungen als Werkelei und lehnten sie daher strikt ab. Das ist lange her. Nur die wenigsten Menschen machen sich heute noch auf eine Pilgerreise, weil sie sich dadurch bei Gott etwas „verdienen" wollen. Die Beweggründe sind so unterschiedlich wie die Menschen selbst, und auch deren kirchliche Bindung ist ganz unterschiedlich. Doch vermutlich hat Luther die Wallfahrten, die Prozessionen und die Bräuche christlicher Frömmigkeit gar nicht so deutlich abgeschafft wissen wollen. Was er geißelte, waren vielmehr die Missbräuche, die Unernsthaftigkeit und die fragwürdige Haltung, die seine Zeitgenossen gegenüber Gott und seiner Verehrung einnahmen.

So ist also das Pilgern kein römisch-katholisches Monopol oder gar aus konfessionellem Affekt heraus abzulehnen, sondern die Haltung eines Menschenherzens ist zu prüfen. Das gilt für den Lutheraner nicht weniger als für den Katholiken, für den Baptisten und Pfingstler genauso wie für den Orthodoxen. Denn wollte man eine Umfrage erheben, wie viele der Wanderer, Wallfahrer, Weggefährten etwa auf dem Jakobsweg nicht der katholischen Kirche angehören, sondern evangelisch sind, wäre so mancher gute Profillutheraner überrascht. Ja, auch selbst jene sind wohl zwischen den Pyrenäen und der Kathedrale von Santiago de Compostela zuhauf anzutreffen. Pilgerschaft ist also ein Phänomen, das über Konfessionsgrenzen hinweg vermehrt auf Interesse stößt. Und das nicht erst, seit einer „mal weg" war.

Die folgenden Seiten über die Wirkstätten Martin Luthers stehen unter einem Psalmwort: *„Selig die Menschen, denen Kraft kommt von dir, die sich zur Wallfahrt entschließen."* Luther war Mönch. Und auch in der Zeit als Hochschullehrer und späterer Familienvater, Publizist und Berater ist er zumindest in einem Punkt seinen klösterlichen Wurzeln treu geblieben: der Theologie der Psalmen und dem Gebet. Deshalb sollen die noch verschlossenen Tore zu den fünf Städten, die wir hier erwandern wollen, durch ein Psalmwort aufgetan werden. Jede Stadt steht unter einem Vers aus dem Psalter. Das jeweilige

Wort aus den biblischen Pilgerliedern dient gewissermaßen als Überschrift für die Beschreibungen, die diesen Abschnitt des Weges begleiten.

Erscheint es nicht dennoch grotesk, zu Luthers Grab wie zum Grab des Heiligen Jakobus nach Santiago zu pilgern? Doch mit dieser fruchtbaren Spannung darf der Weg zu den Lutherstätten getrost gegangen werden. Denn nicht die Orte Luthers sind es, die Gottes Nähe garantieren. Auch nicht die Menschen, die dort gelebt haben. Schon gar nicht die bruchreiche Geschichte der Reformation. Denn

> *„... es soll also nicht nur mit Sagen oder Worten geschehen oder mit Kniebeugen, mit Hauptneigen, mit Hutabnehmen, mit Bildermachen, mit Kirchenbauen – das tun ja auch die Bösen vortrefflich; sondern da braucht's alle Kräfte und Grundehrlichkeit. Das geschieht, wenn das Herz durch ... Nichtigkeit und Gottes gnädiges Ansehen, Freude und Lust ... zu Gott gewinnt."*

Die Städte, in denen Luther wirkte und die mit ihm verbunden sind, haben sich seit einigen Jahren herausgeputzt und zeigen sich ihrer historischen Bedeutung und den touristischen Erwartungen verpflichtet.

Aber der ans Ziel gekommene Wallfahrer spürt hier keine große Erhabenheit. Ein eher nüchterner Geschäftssinn bestimmt die Freundlichkeit der Menschen vor Ort. Kein heiliger Ort, kein erhabener Nimbus, welcher die Person Martin Luther umgäbe. So bleiben an den Lutherstätten religiöses Brauchtum, Volksfrömmigkeit und Gottesdienst nur Randerscheinungen. Hier finden keine regelmäßigen Gottesdienste für die Pilger statt. Es gibt keine Prozessionen mit Kerzen und Weihrauch. Ebenso fehlen still betende und andächtige Gläubige in den Kirchen der Lutherstätten. Lediglich die etwas protestantisch angehauchte Folklore schimmert in den Souvenirläden dem Wallfahrer ins Auge. Postsozialistische Wirklichkeit und postkonfessionelle Kirchlichkeit prägen das Bild.

**Stadt Mansfeld,
Kupferstich, um 1650**

Der Grund, warum man sich dennoch zu dieser „Wallfahrt" entschließt, kann nur der persönliche Weg mit Gott sein. Die Kraft dazu kommt von Ihm – nur von Ihm.

> *„Psalm 122: ‚Ich freute mich über die, die mir sagten: Lasset uns ziehen zum Hause des HERRN!' Es scheint, David sage nichts Großes, so er spricht, wir wollen in des Herrn Haus gehen. Denn wir gedenken allein an Stein, Holz und Gold, so wir hören, des Hauses zu gedenken. Aber des Herrn Haus heißt vielmehr ein anderes, nämlich, die Gabe Gottes zu haben, und dass der Mensch an einen solchen Ort ist, da man Gott gegenwärtig kann hören, sehen, finden, dieweil da dein Wort und der wahre Gottesdienst erfunden wird. Darum die Beschreibung, so die Schul-Lehrer vom Tempel hervorbringen, falsch ist, dass ein Tempel sei ein Haus, das von Holz und Steinen zu Ehren Gottes gemacht ist. Denn sie selbst auch nicht verstehen, was das sei. Denn Salomos Tempel war nicht darum hübsch, dass er mit Gold und Silber gezieret, sondern seine wahre Zierde war, dass da Gottes Wort gehöret, dass Gott da angerufen, dass er da gnädig erfunden ward, ein Heiland, der Friede gab und die Sünde vergab usw. Das heißt den Tempel recht anschauen, nicht wie eine Kuh ein neu Tor ansiehet."*

MANSFELD

„Aus der Tiefe rufe ich, HERR, zu dir!" (Psalm 130,1)

Straße nach Mansfeld

Pilgern erwächst aus einer Sehnsucht. Ein Mensch macht sich auf den Weg, um ein Ziel zu erreichen. Mit einem Ziel vor Augen packt man seine Siebensachen. Land, Leben und Leute des Ortes kommen in den Blick – und die Neugier packt einen.

Doch bereits nach kurzer Zeit auf der Strecke wird sich das Gefühl einstellen, nicht allein um des Zieles willen aufgebrochen zu sein. Der Weg selbst wird einem zum Gefährten, Stein für Stein, Schritt für Schritt. Die Zeit des Aufbruchs kippt irgendwann hinüber in die Zeit des Ankommens. Das geschieht einfach, unmerklich. Dazwischen gibt es nur das Hier und Jetzt.

Aus der Tiefe, aus den tiefsten Gefühlen heraus pilgert ein Mensch lange Strecken, umkämpfte Stunden und die eine oder andere „zweite Meile" mit sich selbst. Den Weg der Pilgerschaft wird man nicht allein um des Zieles willen durchhalten können. Zwar birgt der Beginn eines Weges meist viel an

Kraft und guten Vorsätzen, aber erst das Sich-Einlassen auf den jetzigen Ort und den gegenwärtigen Moment, das Zurückblicken auf das bereits Erreichte und den bewältigten Weg geben Kraft, den Blick nach vorne zu wagen. Das Hoffen und das Bangen, das Wollen und das Zweifeln, das Soll und das Haben, alles bündelt sich. Nur das kann Minute für Minute, Tag für Tag, Kilometer für Kilometer und Etappe für Etappe durchtragen.

„Gott ist so wunderbar bei seinen Kindern, dass er sie gleichsam durch einander widersprechende und nicht zueinander passende Dinge selig macht, denn Hoffnung und Verzweiflung sind einander entgegengesetzt. Dennoch müssen sie in dem Verzweifeln hoffen, denn Furcht ist nichts anderes als ein beginnendes Verzweifeln und Hoffnung ein beginnendes Genesen, und die zwei ihrer Natur nach sich widersprechenden Dinge müssen in uns sein, deshalb, weil zwei in ihrer Natur einander entgegengesetzte Menschen in uns sind, der alte und der neue. Der Alte muss sich fürchten und verzagen und untergehen, der Neue muss hoffen und bestehen und erhoben werden, und diese beiden geschehen in einem Menschen, ja in einem Werk zugleich, gleich wie ein Bildhauer, eben indem er wegnimmt und abhaut, was am Holze nicht zum Bild gehören soll, gerade auch die Form des Bildes fördert.“
(aus einer Predigt über Psalm 130)

Martin Luther hat zeitlebens das gepredigt und theologisch durchdrungen, was ihn als Person und Menschen „coram Deo" – vor Gott – angefochten, in die Verzweiflung getrieben und letztlich wieder aufgerichtet hat. Mit Martin Luther stellt zum ersten Mal in der universitären Theologie einer die Frage nach dem Ich vor Gott: „Wie finde ich einen gnädigen Gott?"

Lutherzimmer auf der Wartburg

Dass das Ich vor Gott zuallerletzt völlig auf sich geworfen sein wird, das hat der junge Augustinermönch von den Mönchsvätern gelernt. Das hat ihn in seinem Bibelstudium erfasst, und das hat er in der tiefen, abgründigen Angst seines Lebens erfahren.

Seine Fragen und die damit verbundene Not hat Martin Luther in dem Lied zu Psalm 130 zusammengefasst:

Aus tiefer Not schrei ich zu dir,
Dein gnädig Ohren kehr zu mir
Und meiner Bitt sie öffne.
Denn so du willst das sehen an,
Was Sünd und Unrecht ist getan,
Wer kann, Herr, vor dir bleiben?

Bei dir gilt nichts denn Gnad und Gonst,
Die Sünden zu vergeben.
Es ist doch unser Tun umsonst
Auch in dem besten Leben.
Vor dir niemand sich rühmen kann,
Des muss dich fürchten jedermann
Und deiner Gnaden leben.

Darum auf Gott will hoffen ich
Auf mein Verdienst nicht bauen;
Auf ihn mein Herz soll lassen sich
Und seiner Güte trauen,
Die mir zusagt sein wertes Wort,
Das ist mein Trost und treuer Hort,
Des will ich allzeit harren.

Und ob es währt bis in die Nacht
Und wieder an den Morgen,
Doch soll mein Herz an Gottes Macht
Verzweifeln nicht noch sorgen.
So tu Israel rechter Art,
Der aus dem Geist erzeuget ward,
Und seines Gotts erharre.

Ob bei uns ist der Sünden viel,
Bei Gott ist viel mehr Gnaden;
Sein Hand zu helfen hat kein Ziel
Wie groß auch sei der Schaden.
Er ist allein der gute Hirt,
Der Israel erlösen wird
Aus seinen Sünden allen.

STADT DER FRÜHEN KINDHEIT

Luthers Lebenspilgerschaft begann in Mansfeld. Ja, es stimmt: Das Licht der Welt erblickte Martin Luther 1483 in Eisleben – dort, wo er auch die Augen für immer schließen sollte. Aber seine Familie blieb nur kurz dort. Wegen der wirtschaftlichen Lage siedelte sie schon 1484 wenige Kilometer weiter nach Mansfeld um, wo bessere Arbeitsmöglichkeiten lockten. Mansfeld war erheblich kleiner als Eisleben mit seinen 2000 Einwohnern. Dennoch war die Grafschaft Mansfeld zur Zeit Luthers bedingt durch den Reichtum aus dem Bergbau eines der am weitesten entwickelten Fürstentümer auf deutschem Boden. Stadt und Grafschaft Mansfeld waren Luther Heimat, der er zu allen Zeiten eng verbunden blieb. Er pflegte regen Kontakt zu den Orten und Menschen seiner Herkunft. Die Familie, die Geschwister und

Burg über Mansfeld, links im Bild der Kirchturm

auch die Bürger und Grafen von Mansfeld sind nie aus Luthers Blickfeld verschwunden. Luther sagte einst über seine Eltern:

„Mein Vater war ein armer Häuer gewesen. Die Mutter hat all ihr Holz auf dem Rücken heimgetragen. So haben sie uns erzogen. Sie haben harte Mühsal ausgestanden, wie sie die Welt heute nicht mehr ertragen wollte."

Dass aber Martin Luther aus dem armen Arbeitermilieu stammte und in einer Familie mit ständigen wirtschaftlichen Engpässen aufwuchs, darf bezweifelt werden. Vielmehr war Vater Luther ein sehr erfolgreicher Geschäftsmann und Unternehmer, der es verstand, aus den vorgefundenen Umständen das Beste herauszuholen. Mansfeld bot ihm dafür die besten Möglichkeiten.

Die Stadt der frühen Kindheit Martin Luthers liegt malerisch in einem Tal des Mansfelder Landes. Nur die stolze Burg der Grafen von Mansfeld und die spätgotische Stadtkirche St. Georg überragen die angrenzenden Hügel. Der Ort Mansfeld wurde im Jahr 973 das erste Mal urkundlich erwähnt; von der Burg, die aber mutmaßlich viel älter ist, hört man aus Urkunden des Jahres 1229. Bereits um das Jahr 1400 erhielt Mansfeld das Stadtrecht, wofür sicherlich die Entwicklung im Schiefer-, Kupfer- und Silberbergbau ausschlaggebend war.

Mansfeld konnte sich sehen lassen, in Mansfeld ließ sich leben. Bergbau, Verarbeitung in den Hütten und Handel, durch die jährlich bis zu 40 000 Zentner Kupfer und beträchtliche Mengen Silber nach fast ganz Europa exportiert wurden, verhalfen dem Städtchen zu Ansehen und Wohlstand.

Dorthin hatte es nun die Familie Luder kurz nach der Geburt des zweiten Sohnes Martin von Eisleben aus verschlagen. Ja richtig, Familie Luder – denn erst die Söhne von Hans und Magarete Luder, darunter auch Martin, änderten später die Schreibweise des Familiennamens in Luther um. Vater Hans Luder pachtete 1490 ein kleines Hüttenwerk in Mansfeld und konnte sich schließlich als Kleinunternehmer selbstständig machen. Das Elternhaus Luthers ist leider nicht mehr im Original erhalten. Sehr wahrschein-

Lutherhaus Mansfeld

lich handelte es sich bei dem Anwesen nicht nur um das bisher angenommene Haus, sondern dieses war vermutlich einst durch einen Zwischenbau mit einem weiteren Haus verbunden. Es muss eine große Hofanlage mit einer Straßenfront von fast 25 Metern gewesen sein.

Ein neuerer Bau (heute in der Lutherstraße 26) an gleicher Stelle liegt zu Füßen des Schlosses. Das alte Wohnhaus musste um 1805 wegen zunehmender Baufälligkeit abgerissen werden. Das Haus, das wir heute als **Lutherhaus** besuchen können, ist ein zweigeschossiges Gebäude, das 1880 am Fachwerkgiebel sowie an sämtlichen Außenwänden erneuert wurde. Es zeigt sich in der für die Region üblichen Buntsandsteinansicht. Die Fensterbänke und die für die Gegend typischen Sitznischen am Eingang wurden originalgetreu nachgestaltet. An der Rundbogenpforte auf der Rückseite des Hauses ist ein Wappen zu sehen.

Es zeigt eine Rose, den Armbrustflügel und die Initialen J. L. sowie die Jahreszahl 1530. Das weist wohl darauf hin, dass nach dem Tod von Hans Luder sein Sohn Jakob das Luther'sche Anwesen und das Vermögen übernahm. Seit 1883 ist das ehemalige Wirtschaftsgebäude eine Luthergedenkstätte.

„Vater Unser im Himmel.' Was ist das?
Antwort: Gott will uns damit locken, dass wir glauben sollen,
er sei unser rechter Vater und wir seine rechten Kinder, damit wir getrost und
mit aller Zuversicht ihn bitten sollen wie die lieben Kinder
ihren lieben Vater."

In Mansfeld besuchte Luther die Schule. Das alte Schulgebäude östlich der Stadtkirche wurde im Dreißigjährigen Krieg zerstört, aber auf den Grundmauern später wieder aufgebaut. Eine Gedenktafel erinnert daran, dass Martin Luther hier seinen ersten Schulunterricht erhielt. Er lernte Lesen und Schreiben, wurde darüber hinaus auch im Singen und in Latein unterrichtet. Die Grundlagen für seine spätere universitäre Laufbahn wurden also bereits hier in Mansfeld gelegt. Heute ist in der Schule eine Touristeninformation untergebracht. „Wie eine Hölle und ein Fegfeuer" sei die Schule für ihn gewesen, rekapituliert Luther 1524 seine Zeit in der Mansfelder Lehranstalt. Einige Jahre später, sagte er:

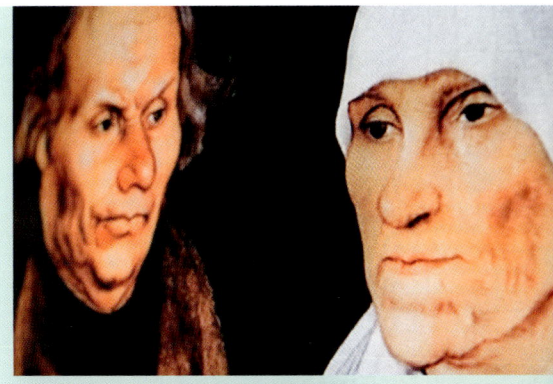

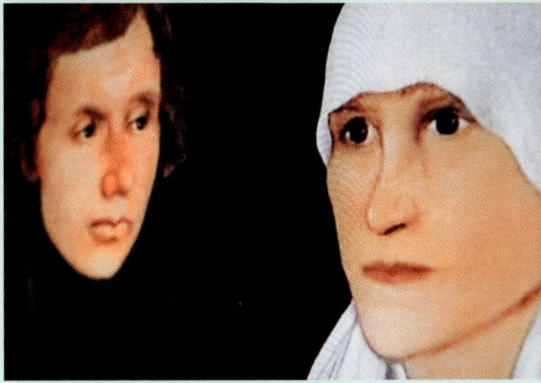

oben: Martin Luthers Eltern, nach einem Bild von Lucas Cranach
unten: Martin Luthers Eltern als junges Ehepaar; digitale Bearbeitung eines Cranach-Bildes

„Vor Zeiten ward die Jugend allzu hart erzogen, dass man sie in den Schulen Märtyrer geheißen hat; sonderlich hat man sie mit dem ‚Lupo' [„Aufpasser" in der Klasse, der ‚Vergehen' aufschrieb und dem Lehrer petzte] und ‚Casualibus' und ‚Temporalibus' [Konjugation- und Deklinationsübungen als Strafe] wohl geplagt, das doch gar kein Nütze war, sehr verdrießlich und beschwerlich, auch unlustig, damit man nur die gute Zeit zubrachte, und manchen feinen geschickten Kopf verderbe."

„Wenn einer aber das Gute, das er hat, mit dem Schlechten ver-gliche, das er nicht hat, der würde endlich erkennen, was für einen großen Schatz an Gütern er hat. Wer gesunde und heile Augen hat, der preist es nicht und freut sich nicht dieser Gabe Gottes; wenn sie ihm aber genommen würde, sieh, um welch großen Schatz er sie zu-rückkaufen wollte. So ist es mit der Gesundheit, so mit allen Din-gen. Gäbe mir Gott die Beredsamkeit eines Cicero, die Macht eines Caesar oder die Weisheit eines Salomo, so wäre ich dennoch nicht zufrieden, weil wir immer das haben wollen, was nicht ist, und das gering achten, was da ist: Ist keine Frau da, sucht man sie, hat man eine, ist man sie leid. Überhaupt sind wir dem Quecksilber ähnlich, das niemals stillsteht. So unbeständig ist das menschliche Herz ... Summa, was einer heute hat, das will er morgen noch mehr haben. Denn das bedeutet jene unruhige und unersättliche Begierde und Eitelkeit des menschlichen Herzens, dass es mit den vorhandenen Dingen nicht gesättigt werden kann, mit welchen auch immer ...“

Die heutige **Lutherschule** wurde erst zu Beginn des 17. Jahrhunderts er-baut. An dem mit 1610 datierten Sitznischenportal mit Rundbogen verkün-det eine lateinische Inschrift Folgendes:

> *„Wie das trojanische Ross gebar kampflustige Scharen,*
> *so die Schule des Orts manche Gelehrte von Ruf.*
> *Du, gib uns der Luther noch mehr,*
> *o Ritter von Mansfeld;*
> *mehr dann der Siege erringt*
> *Christi begeisterte Schar.“*

Mit dem Ritter von Mansfeld ist der Stadtheilige, der heilige Georg, gemeint. Eine Art Anrufung zur Fürbitte hört man da heraus – der heilige Georg blieb auch über die Reformation hinweg eine wichtige Figur im Leben und in der Frömmigkeit der Mansfelder Bergarbeiter. Nicht zuletzt deshalb heißt die **Stadtkirche zu Mansfeld St. Georg**. Hier versah Martin Luther den Ministrantendienst, sang im Kirchenchor und wuchs hinein in die spätmittelalterliche Frömmigkeit, die er später so vehement bekämpfte, selbst aber nie wirklich überwand.

Die Kirche ist neben der Burg das beherrschende Bauwerk der Stadt. Erst 1367 hatte Mansfeld eine eigene Kirche bekommen; eine spätgotische Kirche, die viel an Kunstschätzen birgt und noch erahnen lässt, welch wohlhabende Gegend die Mansfelder Grafschaft einst gewesen sein mag. Ein der Cranachwerkstatt zuzuordnendes Bild ist von besonderer Schönheit. Es zeigt den auferstandenen Christus. Auch die Kanzel ist sehenswert: Der heilige Georg trägt Predigt und Prediger.

Mansfeld als Stadt spielt in der Biografie Luthers eine vergleichsweise untergeordnete Rolle. Dennoch steht die Stadt für das Milieu, aus dem Luther stammt, und die Zeit, in welcher die Ereignisse aus dem mitteldeutschen Raum in die Geschichte der christlichen Welt hinüberschwappten.

Etwas schüchtern zwängt sich das Städtchen in das Tal zwischen Schlossberg und die es umgebenden Hügel. Kleine Gässchen winden sich zwischen den

Eingang zur Lutherschule in Mansfeld

Häuserfassaden hindurch. Der schmucke Marktplatz, der nahezu auf dem höchsten Punkt der bebauten Stadtfläche liegt, gibt sich einladend herausgeputzt. Die Kirche, die alte Schule, das Pfarrhaus und ein Lutherdenkmal ziehen die Aufmerksamkeit des Besuchers auf sich. Dass die besten Zeiten Mansfelds weit zurückliegen, macht gerade der Blick auf die vielen leer stehenden Gebäude um den Marktplatz deutlich. Die Spuren der bewegten Jahrzehnte in der jüngeren Geschichte sind auch hier unübersehbar. Umgeben von den Orten der Geschichte, schlendert man durch die kopfsteingepflasterten Straßen. Immer wieder werden auch zwischen den Häusern die Blicke auf das Schloss gelenkt: Aus jeder Perspektive leicht auszumachen, thront das Kastell über den Dächern Mansfelds.

Unter der Einbeziehung älterer Bausubstanz ließen die Mansfelder Grafen das **Schloss** zu Beginn des 16. Jahrhunderts als trutzige Festung errichten.

Bis heute hat die Anlage aber nur in Teilen überdauert, am besten ist die einschiffige **Schlosskirche** erhalten. Besonders sehenswert ist der reich bemalte Flügelaltar aus der Cranachwerkstatt.

Luther dürfte als Kind wohl kaum Zutritt zur stolzen Burg auf dem Felsvorsprung hoch über dem Städtchen gehabt haben. Das sollte sich später ändern. Den berühmt gewordenen Reformator riefen die Grafen von Mansfeld mehrmals als Berater und Schlichter in juristischen Angelegenheiten auf ihre Burg, um unter seinem Rat zu Entscheidungen zu gelangen. Bei diesen Besuchen predigte Luther in der Schlosskapelle, die heute das Erscheinungsbild der Burg entscheidend prägt. Sie gilt als einer der bedeutendsten Sakralbauten der Spätgotik zwischen Harz und Elbe.

Der Fußweg durch die Stadt und auf das Schloss hinauf lohnt sich. Mansfeld mag vielleicht keine touristische Weltattraktion sein, aber es lässt erahnen, wie Orte Lebensläufe und Menschen prägen. Könnten die Steine reden, sie hätten viele und wechselvolle Geschichten zu erzählen. Mansfeld erkundet man daher am besten zu Fuß. Es bleibt ein Eindruck zurück, als grüße jemand Altvertrautes den behutsamen und aufmerksamen Besucher.

Mansfeld liegt nur wenige Kilometer von Eisleben entfernt und ist doch so ganz anders. Vielleicht lässt sich gerade deshalb hier die vermutlich authentischste Begegnung mit Martin Luthers Ursprüngen verwirklichen, weil die Touristenströme das Städtchen nie wirklich erreicht haben und weil die heroisierenden Lutherdeuter des 19. Jahrhunderts Mansfeld nur flüchtig gestreift haben. Dabei sind nicht die konkreten historischen Schauplätze so entscheidend, sondern das Erleben der Stadt und der Menschen, die in ihr leben. Diese zeigen sich hier nämlich ohne Fassade. Das Leben im Mansfelder Land, damals und heute. Die Umstände der postsozialistischen Gegenwart sprechen eine unzweideutige Sprache. Kein historischer Stuck lenkt ab, sondern das nackte Mauerwerk ist zu sehen. Vom Haus der Geschichte wie vom Zustand am Bau der Zukunft. Mansfeld führt in die Tiefe der Wirklichkeit. „Aus der Tiefe rufe ich, Herr, zu dir ...“

Kirche St. Georg

EIN KIND DES VOLKES

Die Ursprünge des mittelständischen Milieus, aus dem Martin Luther stammt, beschreibt er wie folgt: *„Ich bekenne, dass ich der Sohn eines Bauern von Möhra bei Eisenach bin – der Urgroßvater, mein Großvater, der Vater sind richtige Bauern gewesen."* Da der Vater den Hof nicht übernehmen konnte, ging er in den Bergbau. Eben zunächst nach Eisleben, kurz danach nach Mansfeld. Freilich kam der Wohlstand nicht von heute auf morgen. Doch er kam. Hans und Margarete Luder hatten für den Unterhalt der Familie viel und schwer zu arbeiten, und anfänglich war Sparsamkeit angesagt, zumal Martin mit etlichen Geschwistern aufwuchs. Die Hälfte der zehn Kinder starb früh. Drei Schwestern Luthers, sein Bruder Jakob, der das Erbe des Vaters antrat, und Martin erreichten das Erwachsenenalter. Die Lebensumstände waren also rau, die Kindersterblichkeit hoch, die Lebenserwartung aller umso niedriger. Krankheit und Tod waren tägliche Gefährten. Die Men-

Ängstlicher Dämon, ein Detail in der Erfurter Augustinerkirche

schen waren vielem ohnmächtig ausgeliefert und konnten sich die Ursachen von Krankheit und plötzlichem Tod nur sehr eingeschränkt erklären. Abergläubische Weltdeutungen mischten sich wie selbstverständlich mit den Lehren, die in den Kirchen zu hören waren. Es wimmelte in der Volksfrömmigkeit nur so von Dämonen, Hexen, Geistern und allerlei Unwesen. Nicht zuletzt der Bergbau mit der Arbeit unter der Erde, den heimtückischen Schlagwettern in den Gruben, den finsteren Schächten und nie wieder auffindbaren Unfallopfern bot einen guten Nährboden für allerlei Aberglauben.

Heiligenfiguren, Weihwasser, Kerzen und andere geweihte Gegenstände sollten apotropäische, Bosheit wehrende Wirkung haben. Böses galt es abzuwenden durch den nicht selten magisch interpretierten Umgang mit dem Heiligen. Man kann zwar dieser vergangenen Frömmigkeit mit der Art Überheblichkeit begegnen, die heutigen aufgeklärten Menschen nicht selten zu eigen ist. Ob diese Haltung tatsächlich angemessen ist, soll hier infrage gestellt werden. Denn Dämonen sterben nicht aus, sie ändern ihre Namen und ihr Gesicht. Das gilt auch und gerade für eine Zeit, die so von Sorgen geplagt, von Ängsten getrieben und von Einsamkeit durchzogen ist wie die Gegenwart. Und jede Zeit findet ihren eigenen Umgang damit.

ST. GEORG UND ANNA SELBDRITT

So waren die Schutzpatrone der Bergleute allgegenwärtig. Heißt eine Kirche in der Bergbaugegend um Mansfeld nicht **St. Georg**, so ist sie der heiligen Anna geweiht.

Der Drachentöter Georg, der in der alten Kirche, vor allem im Osten, als Erzmärtyrer verehrt wurde, erfuhr nach 800 mit der aufkommenden Legende um seine heldenhafte Tat zunehmende Verehrung. Der biblische Anklang einer „Drachentötung" durch den Erzengel Michael (Offenbarung 12,7-9) wurde nun vermehrt auf den heiligen Georg übertragen. Die Drachenlegende des Georgs von Kappadokien ist den verschiedenen überlieferten Rittergeschichten nicht unähnlich.

Georg rettet eine jungfräuliche Königstochter vor der Bestie, einem Drachen, indem er diesen tötet. Die Königstochter ist eine Opfergabe, die der Drache von der Bevölkerung fordert, um sie zu verschonen. Durch den Sieg Georgs wird das Land befreit, und Georg rät den Menschen zur Taufe. Wichtig ist dabei, dass Georg nicht die Königstochter heiratet – wie in den

Brunnenfigur St. Georg, Eisenach

weltlichen Rittergeschichten –, sondern die Menschen zur Taufe führt. Somit ist die Taufe das wesentliche Motiv der Legende. Der Drachenkampf
ist der mutige Kampf gegen das Böse, gegen den teuflischen Feind. Georg
wurde in Deutschland zu einem der wichtigsten Heiligen. Auch für die
Bergleute ist er der Schutzpatron, der Sieger über dämonische Mächte, wie
sie unter der Erde zu Hause sind.

Die heilige Anna hingegen, Großmutter Jesu und Mutter Marias, ist eine sanfte Heilige. Auch sie ist nicht aus dem Kanon der Bibel bekannt. Die kirchliche Überlieferung kennt sie aus dem Protoevangelium nach Jakobus. Dort wird von der mehr oder weniger wunderbaren Geburt des Mädchens Maria berichtet.

Anna war mit Joachim verheiratet. Die Eltern Marias spielen in der mittelalterlichen Frömmigkeit eine große Rolle, gehören sie doch zur Familie des Allherrschers Christus. Jesus Christus ist den Menschen des Spätmittelalters von den meisten Predigern der Kirche nicht als der nahe, leidende, vergebende, gerechte und liebende Menschensohn Jesus von Nazareth vorgestellt worden. Vielmehr hörten sie von dem fernen, sündlosen, heiligen, richtenden und makellosen Gottmenschen Christus. So kam den Heiligen in ganz eigenartiger Weise eine gewisse Mittlerschaft zwischen den sündigen Menschen der Kirche und ihrem Herrn

Anna Selbdritt, St. Marien, Erfurt

Jesus Christus zu. Eine besondere Rolle spielten dabei eben die Gottes-mutter und Jungfrau Maria und deren Eltern, Anna und Joachim. Kunst-historisch ist dies immer wieder in der Darstellung der **Anna selbdritt** nachzuvollziehen, einer Darstellung, in der die Mutter Anna zwei Kinder oder auch nur zwei kleine erwachsene Figuren auf dem Schoß hat: Maria und Jesus. Das Wort „selbdritt" kommt aus dem mittelalterlichen Deutsch, wo „selbander" für eine Gruppe von zweien und „selbviert" für ein Quar-tett benutzt wurden. So steht selbdritt für die Darstellung der drei heiligen Figuren Anna, Maria und Jesus. Die heilige Anna sollte gerade in Luthers Leben noch eine wichtige Rolle spielen.

So riefen die Menschen der damaligen Zeit aus der Tiefe nach Gott. Eine Gleichgültigkeit Gott gegenüber gab es wohl auch schon damals. Doch die Menschen waren von einem Gottesbewusstsein getragen, das nach Refor-mation und Aufklärung nur noch etwas befremdlich anmuten kann. Aber nicht nur der Gedanke an Gott war völlig normal. Auch der Tod war ein Gefährte des alltäglichen Lebens. Die Menschen wurden lange nicht so alt wie wir. Und gestorben wurde zu Hause. Plötzlich, unerwartet und aufs Äußerste bedrohlich. So schrieb Luther das Lied:

> *Mitten wir im Leben sind mit dem Tod umfangen.*
> *Wen suchen wir, der Hilfe tu, dass wir Gnad erlangen?*
> *Das bist du, Herr, alleine.*
> *Uns reuet unser Missetat, die dich, Herr, erzürnet hat.*
> *Heiliger Herre Gott, heiliger starker Gott,*
> *Heiliger barmherziger Heiland, du ewiger Gott,*
> *Lass uns nicht versinken in des bittern Todes Not.*
> *Kyrieleison.*

Mitten in dem Tod ansicht uns der Höllen Rachen.
Wer will uns aus solcher Not frei und ledig machen?
Das tust du, Herr, alleine.
Es jammert dein Barmherzigkeit unser Klag und großes Leid.
Heiliger Herre Gott, heiliger starker Gott,
Heiliger barmherziger Heiland, du ewiger Gott,
Lass uns nicht verzagen vor der tiefen Höllen Glut.
Kyrieleison.

Mitten in der Höllen Angst unser Sünd' uns treiben.
Wo soll'n wir denn fliehen hin, da wir mögen bleiben?
Zu dir, Herr, alleine.
Vergossen ist dein teures Blut, das g'nug für die Sünde tut.
Heiliger Herre Gott, heiliger starker Gott,
Heiliger barmherziger Heiland, du ewiger Gott,
Lass uns nicht entfallen von des rechten Glaubens Trost.

Kyrieleison.

RELIQUIEN UND ABLASSHANDEL

Die Vergänglichkeit des Lebens war zu Luthers Zeiten vom Kindbett an im vollsten Bewusstsein aller Menschen. Aus der Grundangst des vergehenden Lebens schöpfte die tiefe und zumeist ernste und aufrichtige Frömmigkeit der damaligen Menschen.

Doch aus dieser Suche nach Halt wussten skrupellose Menschen auch Kapital zu schlagen. So wie heute alles käuflich zu sein scheint, so war damals das ewige Heil eine Sache des Geschäfts. Bizarre religiöse Bräuche, die unsereins nur ein Kopfschütteln abringen können, waren einst alltäglich. Das religiöse Entertainment war ein blühender Geschäftszweig.

Vor allem der Handel und die Verehrung von Reliquien standen hoch im Kurs. Auch wenn dabei nur die echten oder unechten Knochen irgendwelcher Heiligen als Splitter auf Samtkissen oder in Goldvitrinen dem zahlungswilligen Büßer zu Gesicht gebracht wurden – es war äußerst lukrativ. Als einer der größten Sammler von Reliquien in der damaligen katholischen Welt galt **Kurfürst Friedrich der Weise von Sachsen**. Er hatte es auf eine stattliche Reliquiensammlung von zigtausend Partikeln gebracht, was einem „Wert" von 1,9 Millionen Jahren Ablass entsprach. Dieser Re-

liquienschatz wurde stolz in der Wittenberger Stiftskirche gezeigt. Doch den uneinholbaren frommen Rekord hielt mit weitem Abstand **Erzbischof Albrecht von Brandenburg**. Sein Reliquienschatz in Halle umfasste zwar „nur" 8933 Partikel, darunter aber 42 ganze Körper von Heiligen, was summa summarum 39 245 120 Jahre und 220 Tage Ablass bedeutete.

Der Ablass selbst gehört zur mittelalterlichen Spiritualität so selbstverständlich wie auch der Glaube an einen strengen, unnahbaren Christus, dessen Verdienste am Kreuz als Schatz verwaltet wurden. Diesem Schatz konnten heilswirksame Anteile abgewonnen werden, indem man Gutes tat, zur Messe

Kurfürst Friedrich der Weise, Bildausschnitt, ausgestellt in Luthers Geburtshaus in Eisleben

und zur Beichte ging und eben Ablässe erwarb. Der Zugang zum Heil war an Bedingungen geknüpft, die von Menschen zu erbringen waren, und bestimmte Würdenträger der Kirche spielten sich so auf, als hätten sie die Schlüssel zum Heil in ihrer Hand. Die Missstände waren vielen gläubigen Menschen in den Klöstern, den Universitäten und auch in den aufkeimenden religiösen Bewegungen sehr bewusst. Reformen waren unumgänglich. Aber die Kirchenleitung in Rom war mit anderen Dingen beschäftigt, als sich um eine Reform und die Erneuerung der Kirche zu kümmern.

DIE DOMINIKANER

Da die Menschen zur damaligen Zeit zumeist weder lesen noch schreiben, geschweige denn dem Lateinischen folgen konnten, waren sie auf die Lehre derer angewiesen, die des Schreibens und Lesens mächtig waren: die Mönche. Die gebildeten Klosterbrüder lebten je nach Ordensgemeinschaft und spiritueller Prägung in großen abgeschiedenen Abteien oder in den Klöstern der Städte und Dörfer. Die Mönche der benediktinischen Tradition hatten ihre prächtigen, mächtigen Abteien meist in einiger Entfernung von Städten und Ortschaften, auf Bergen oder in abgeschiedenen Tälern errichtet. Die Benediktiner und die Zisterzienser führten ein gottgefälliges und zurückgezogenes Leben unter der Maßgabe „Ora et Labora et Lege". Stundengebet, Handarbeit und geistliche Lesung kennzeichnen diese Orden bis heute.

Jene Orden aber, die sich in den Städten und den Dörfern niedergelassen hatten – zumeist die Bettelorden aus der monastischen Bewegung des Hochmittelalters, Franziskaner, Dominikaner, Karmeliten und Augustiner-Eremiten –, prägten die Frömmigkeit der urbanen Bevölkerung.

Gerade die **Dominikaner** waren angetreten, um durch ihren Predigtdienst die Menschen mit ihrer Botschaft in Berührung zu bringen. Die Geschichte des Dominikanerordens soll hier nicht bewertet werden, aber das schönste Aushängeschild der Kirche war dieser Orden damals gewiss nicht. Und gerade weil auch so hervorragende Theologen wie etwa ein Thomas von Aquin Brüder dieser Ordensgemeinschaft waren, bleibt die Wahrnehmung des Ordens zwiespältig. Der Predigerorden – wie die Dominikaner auch genannt werden – stellte den Großinquisitor der römischen Kirche. Dieser meinte, mit zündelnder Gewalt und zahnbrecherischer Herrschsucht dem wahren Glauben ein Anwalt sein zu können und zu müssen. Wie weit die Dominikaner damit aber Christus immer wieder ein Verräter wurden, darüber mag ein anderer das Urteil fällen.

Die Bluthunde Gottes, die „Domini canes", waren reich an Einfluss und Macht in der Kirche. Sie waren hervorragende Prediger und bisweilen wüste Demagogen.

Auf dem Weg durch die Städte, in denen Luther lebte und wirkte, sind dieser Orden und ein ganz besonderer Mitbruder unbedingt der Rede (wenn auch nicht der Ehre) wert: **Johann Tetzel**. Er wurde von Erzbischof Albrecht mit dem Eintreiben des Ablasses beauftragt, um die Schulden des Erzbischofs zu tilgen, die Kasse der Fugger weiter auf Höchststand zu bringen und zusätzlich auch noch den Neubau des Petersdomes in Rom zu finanzieren. Tetzel tat dies mit einer Professionalität, die heutigen Menschen die Sprache verschlägt. Sein viel zitierter Satz: *„Sobald der Gülden im Becken klingt, im huy die Seel im Himmel springt"* spricht für sich.

Tetzel verstand es meisterhaft, die Not der gesteigerten Empfindlichkeit des religiösen Gewissens damaliger Christenmenschen schamlos auszunutzen. Einmal mehr waren das Jüngste Gericht und die drohende ewige Verdammnis Entscheidungsort der Zeit. Kaum etwas quälte die Menschen mehr als das Wissen um den möglichen plötzlichen Tod. Der Mensch konnte nur hoffen, mit der „Ars Moriendi" – der Kunst des Sterbens – richtig vorbereitet zu sein. Jedermann wusste sich dem unumgänglichen Schrecken des Todes ausgeliefert, und nur die Absicherung über das Sterben hinaus verhieß etwas Trost und Beruhigung.

Ein geschichtliches Vermächtnis bleiben der Missbrauch und das Geschäft mit dem Tod. Die heutige Zeit kennt ihre eigenen Formen des Ablasses, der Vertröstung und des Kalküls um Leben und Lebenlassen. Aus der Tiefe ruft ein jeder ... Aus der Tiefe der bezwingbaren Alltäglichkeiten oder aus der Schlucht der verrinnenden Zeit.

Psalm 130 – Ein Wallfahrtslied.

Aus der Tiefe rufe ich, HERR, zu dir.
Herr, höre meine Stimme!
Lass deine Ohren merken auf die Stimme meines Flehens!
Wenn du, HERR, Sünden anrechnen willst –
Herr, wer wird bestehen?
Denn bei dir ist die Vergebung, dass man dich fürchte.
Ich harre des Herrn, meine Seele harret, und ich hoffe auf sein Wort.
Meine Seele wartet auf den Herrn mehr als der Wächter auf den Morgen;
mehr als der Wächter auf den Morgen hoffe Israel auf den Herrn!
Denn bei dem Herrn ist die Gnade und viel Erlösung bei ihm.
Und er wird Israel erlösen aus allen seinen Sünden.

ERFURT

„Seht doch, wie gut ist es und wie schön, wenn Brüder beieinander wohnen in Eintracht." (Psalm 133,1)

Treppe zur Orgelempore in der Augustinerkirche, Erfurt

Das Pilgern zeigt das volle Leben in Momentaufnahmen. Wer sich einmal auf den Weg gemacht hat, um ein Ziel zu erreichen, wird im Gedächtnis die Bilder behalten, die auf dem Weg entstehen oder die die Zeit auf der Strecke aus der Vergangenheit ins Jetzt holt.

Ein treuer Gefährte auf dem Weg der Pilgerschaft ist oft die Einsamkeit. Aber auch die anderen Pilger, die man auf dem Weg trifft, werden einem zu Gefährten. Die Zeit der Pilgerschaft umspannt das Ich und das Wir, das Mein und das Unser, den Einsamen und die Gemeinsamen.

So spannt sich das Klosterleben ebenso auf. In der Sehnsucht nach Einsamkeit birgt sich der Ruf in die Gemeinschaft, und der Wunsch nach dem Miteinander setzt die Fähigkeit zur Einsamkeit voraus. Der Psalmist drückt das für die Wallfahrt mit folgenden Worten aus: *„Seht doch, wie gut ist es und wie schön, wenn Brüder beieinander wohnen in Eintracht."*

Luthers tiefen Wunsch nach Gemeinschaft im Allgemeinen und nach religiöser Communitas im Speziellen haben wohl die Erfahrungen in den Jahren bei den Magdeburger „Brüdern vom gemeinsamen Leben" und bei der Eisenacher Familie Cotta hervorgerufen. Zeitlebens blieb das vertraute Zusammensein mit Menschen für Martin Luther so etwas wie ein Lebenselixier. Der Freundeskreis und die Familie lösten die Klostergemeinschaft ab.

MARTIN LUTHERS WEG INS KLOSTER

Doch wie war der Weg Luthers ins Kloster? Der Ehrgeiz der Eltern Luder tat sich schon recht früh hervor. Martin sollte eine höhere Bildung erhalten. Das hohe Maß an Fleiß, das die Eltern an sich anlegten, wurde auch den Kindern im Hause Luther zugemutet. So beschlossen sie, dem begabten Martin eine zukunftsträchtige Schulbildung zuteilwerden zu lassen.

Die Ratschule in Mansfeld konnte dabei den Wünschen der Eltern natürlich nicht genügen. So schickten Hans und Margarete Luder ihren Spröss-

ling bereits mit 13 Jahren außer Haus. Zusammen mit einem Schulfreund – Hans Reinicke – kam er nach Magdeburg. Die Freundschaft zwischen Martin und Hans sollte lebenslang halten. In Magdeburg blieb der Schüler Martin nicht lange. Seine Eltern mussten ihn zurückholen, vermutlich, weil seine Gesundheit angeschlagen war. Als Martin genesen war, schickten ihn die Eltern in Eisenach zur Schule, der Heimatstadt der Mutter. Die Aufenthalte in diesen beiden Städten sollten für Martins Frömmigkeit prägend werden. In Magdeburg lernte er die „Brüder vom gemeinsamen Leben" kennen, eine klösterliche Gemeinschaft. Das erste Mal, dass ihm christliche Gemeinschaft zu dem wurde, was er als Mönch später immer wieder beten sollte: *„Siehe, wie fein und wie lieblich ist's, wenn Brüder in Eintracht beieinander wohnen."*

ERFURTS URSPRÜNGE

Erfurts Ursprünge gehen als alte germanische Siedlung bis in die Zeit viele tausend Jahre vor Christus zurück. Die erste schriftliche Erwähnung in einer Urkunde aus dem Jahr 742 stellt das gegenwärtige Gründungsdatum der Stadt dar. Dabei handelt es sich um die Bitte des heiligen Bonifatius an den Papst Zacharias um die Bestätigung von „Erphesfurt". Mit dieser Urkunde ist auch die Gründung des Bistums Erfurt verbunden. Die Diözese wurde allerdings bereits 755 mit dem Hochstift Mainz vereinigt. So traten also die Erzbischöfe von Mainz ab dato als Herren in Erfurt auf.

Die Politik Karls des Großen war sehr förderlich für die rasch wachsende Stadt Erfurt, die günstig an der „via regia" lag. So konnte der Handel mit den Slawen im Osten rege betrieben und dadurch ein enormer wirtschaftlicher Aufschwung erzielt werden. Im Jahr 805 erklärte der Kaiser Erfurt zu einem wichtigen Handelsplatz an der Grenze des Fränkischen Reiches nach Osten hin. Etwa um die gleiche Zeit wurde eine erste, der heiligen Maria geweihte Kirche errichtet. Dies war der Vorgängerbau des heutigen Domes, der Kathedralkirche St. Marien auf dem Domberg. Aus dieser Zeit weist der Dom heute keine baulichen Spuren mehr auf. Jedoch ist bei aller gotischen Pracht auch viel von der schlichten Würde einer alten romanischen Domkirche zu erkennen.

Erfurt war auch politisch sehr wichtig. Dort fanden Reichstage statt, und die Kaiser, Könige und Fürsten der Zeit waren häufig zu Gast in den Mauern der berühmt gewordenen Stadt. In einer Urkunde aus dem Jahr 1120 werden erstmals die „Bürger Erfurts" als bedeutende gesellschaftliche Größe genannt. Ähnlich wie in den Reichsstädten bildete sich mehr und mehr eine starke bürgerliche Schicht heraus. Das führte dazu, dass sich 1212 im Zuge der Wirren von Thronstreitigkeiten zwischen den Welfen und den Staufern ein erster, noch von Ministerialen geprägter Rat der Stadt formieren konnte. Durch eine 1255 durchgeführte Ratsreform bildete sich eine machtvolle, selbstbewusste und eigenständige Bürgerschaft heraus, die nun nach und nach die Kompetenzen der erzbischöflichen Stadtverwalter an sich zog und zunehmend die Herrschaft in der Stadt und der Region an sich nahm. Das führte zu heftigen Auseinandersetzungen zwischen Rat und Erzbischof. Im Jahr 1279 eskalierten die Streitigkeiten, erzbischöfliche Amtsträger wurden gar misshandelt und aus der Stadt verjagt. Daraufhin belegte der Erzbischof die Stadt mit dem Bann, welcher zweieinhalb Jahre auf ihr lastete.

EINE MITTELALTERLICHE GROSSSTADT

Als Erfurt im 15. Jahrhundert etwa 19 000 Einwohner zählte, rangierte die Stadt neben den anderen mittelalterlichen Großstädten im Reich. Nur Köln, Nürnberg und Magdeburg übertrafen Erfurt hinsichtlich der Größe und der Bedeutung. Damit war für Erfurt der Höhepunkt seiner wirtschaftlichen, politischen und geistig-kulturellen Entwicklung im Mittelalter erreicht. Die Stadt wurde zum Zentrum des Handels im mittleren Heiligen Römischen Reich Deutscher Nation. Von entscheidender Bedeutung für die wirtschaftliche Größe Erfurts war der Waidmarkt. In etwa 300 Dörfern Thüringens wurde die Waidpflanze angebaut, aus deren Blättern man ein seltenes und begehrtes Mittel gewann, um Stoffe blau zu färben. Der Anbau und der Handel damit waren äußerst lukrativ, und die Erfurter Bürger wussten ihre führende Stellung auf diesem Gebiet geschickt zu nutzen. Weiteren Aufschwung erhielt die Stadt durch das ihr 1331 verliehene Privileg, Handelsmessen abzuhalten. Erfurt war eine pulsierende Stadt des Handels und des Handwerks.

Und auch die Bildung stand in hohem Ansehen. So wurde Erfurt bereits im 13. Jahrhundert zu einem Bildungszentrum, dessen Einfluss weit reichte. 1379 hatte sich die Stadt Erfurt bei Gegenpapst Clemens VII. – während des großen Schismas – für die Gründung einer eigenen Universität eingesetzt und auch eine entsprechende Gründungsurkunde erhalten. Dabei ging die Initiative für die Bewerbung auf das Engagement der Erfurter Bürgerschaft zurück. Doch das Schisma hatte auch auf die Entwicklungen in Erfurt negative Auswirkungen. Als sich nämlich Erzbischof Adolf von Mainz als Landesherr dem Papst Urban VI. zuwandte, wurden die Eröffnung der Universität und der Beginn eines geregelten Lehrbetriebes unmöglich.

Inzwischen hatte Urban VI. der Stadt Heidelberg 1385 die Gründung einer Universität gestattet und auch der Rat der Stadt Köln 1389 die Gründung einer Universität erlaubt. Daraufhin wurden die Erfurter Stadtväter wieder aktiv und bemühten sich ein weiteres Mal um die Genehmigung zur Gründung einer Universität. Diese Genehmigung erteilte ihnen Urban VI. noch im selben Jahr. So konnte also 1392 endlich die **Universität Erfurt** als dritte Universität innerhalb der Grenzen der heutigen Bundesrepublik Deutschland eröffnet werden. Die Erfurter Uni wurde sehr schnell eine der größten deutschen Universitäten. Dabei hat die „Alma Mater Efordiensis" hat eine wechselvolle Geschichte hinter sich. Mit dem Aufkommen der Reformation in Erfurt ab dem Jahr 1521 setzte ein starker Niedergang ein. Die Zahl der Studenten ging innerhalb weniger Jahrzehnte massiv zurück, und die Erfurter Universität verlor immer mehr an Bedeutung zugunsten der Wittenberger Universität. Somit teilte sie das Schicksal vieler kleiner Universitäten, wie etwa Altdorf, Duisburg oder Fulda, und überlebte die Epoche der Napoleonischen Kriege in Deutschland nicht.

Nachdem Erfurt wieder preußisch geworden war, wurde die Universität mit nur noch etwa 20 Studenten im Jahr 1816 geschlossen. Jedoch erinnern unter anderem viele Gebäude im historischen Universitätsviertel, dem sogenannten Lateinischen Viertel, an die große Tradition der alten Erfurter Universität. Dort befindet sich auch das im Zweiten Weltkrieg zerstörte und seit Ende der 90er-Jahre im Wiederaufbau befindliche Hauptgebäude der historischen Universität, das Collegium Maius.

Noch zu DDR-Zeiten, ab 1987, setzten sich Mitglieder der heutigen Universitätsgesellschaft Erfurt für eine Wiedergründung der Uni Erfurt ein. Die politische Wende in Deutschland 1989 ließ diese Initiative rasch Gestalt annehmen. 1993 beschloss der Thüringer Landtag, die Universität wiederzuerrichten. Sie ist damit die jüngste staatliche Universität Deutschlands und zugleich eine der ältesten, welche über eine bis ins Mittelalter zurückreichende Tradition verfügt. So liegt das Datum der Neugründung der Universität in Erfurt am 1. Januar 1994, der Lehrbetrieb konnte zum Wintersemester 1999 aufgenommen werden.

Waidpflanze

Eine wichtige Fakultät war aber bereits vor der Wiederbelebung der Uni in der Stadt präsent, was vor allem während der DDR-Zeit von großer Bedeutung war. 1952 nämlich wurde von der römisch-katholischen Kirche ein „philosophisch-theologisches Studium" mit angeschlossenem Priesterseminar gegründet, um die Priester für die Diözesen und apostolischen Administrationen auf dem Gebiet der Deutschen Demokratischen Republik auszubilden. Die Unterrichtsräume befanden sich noch bis in die 90er-Jahre unter dem gotischen Hochchor des Domes. Dieses „Studium" wurde als katholisch-theologische Fakultät in die Universität Erfurt integriert und stellt heute den wichtigsten Ort für die Ausbildung katholischer Geistlicher im Osten Deutschlands dar.

MEISTER ECKARTS ERFURT

„Dass ein Mensch ein ruhiges Leben hat, das ist gut; dass ein Mensch ein mühevolles Leben mit Geduld erträgt, das ist besser; aber dass man Ruhe hat in einem mühevollen Leben, das ist das Allerbeste."

(Meister Eckart)

Eine ausgesprochen wichtige Person im Erfurt der Zeit des Hochmittelalters ist **Meister Eckart**. Dieser hatte ab 1292 als Prior des Dominikanerklosters und leitender Vikar seines Ordens in Erfurt und dem Gebiet Thüringens und Sachsens gewirkt. Durch Meister Eckarts Predigten und mystische Schriften wurde Erfurt zu einem der wichtigsten Zentren der theologischen und philosophischen Wissenschaft jener Zeit.

Nordportal der Augustinerkirche, Erfurt

Luthers Verhältnis zu Personen wie Eckart und zur Mystik ist durchaus ambivalent. So hat wohl der junge Martin Luther eine gewisse Sympathie für die Mystik aufbringen können, weil die mystische Betrachtung die Passivität des Menschen gegenüber Gottes aktivem Handeln betont und davon ausgeht, dass man nicht durch geistige Spekulation, sondern durch geistliche Erfahrung zum Glauben findet. Sein eigenes „Turmerlebnis", bei dem er von der Erkenntnis der bedingungslosen Liebe Gottes überwältigt wurde, trägt mystische Züge. Mit der sich ausbreitenden Reformation aber musste sich Luther mit den Täufern auseinandersetzen, die ihre gläubige Existenz nahezu ausschließlich auf innere Gotteserfahrungen zurückführten und diese als unabhängig vom biblischen Wort begriffen. Das war in Luthers Augen Schwärmerei. Gottes Geist und sein Handeln sind nach Luther an das äußere Wort der Predigt gebunden und unabhängig vom Wort Gottes nicht zu haben.

> *„Die Neigung zur Sünde ist nicht Sünde,*
> *aber sündigen wollen, das ist Sünde."*
>
> (Meister Eckart)

LUTHER ALS STUDENT

Martin Luther ist wohl der bekannteste Student. der Universität Erfurt gewesen, der hier von 1501 bis 1505 an der artistischen Fakultät studierte und mit dem Magistergrad abschloss. Er studierte zunächst die sieben freien Künste: Grammatik, Rhetorik, Dialektik, Metaphysik, Geometrie, Musik und Astronomie. Seine Begabungen kamen bereits in dieser Zeit zum Vorschein. Nach nur einem Jahr legte Luther im September 1502 die Prüfung zum Bakkalaureus Artium ab, und drei Jahre später erlangte er den Magistergrad.

Das universitäre Lernen der damaligen Zeit gestaltete sich anders, als es im heutigen Lehrbetrieb üblich ist. So wurde der Student Luther auch in der Kunst des Disputierens unterrichtet, was heute vor allem an angelsächsischen Universitäten noch gelehrt wird, in Deutschland aber nicht zum

Kanon der Lehrveranstaltungen gehört. Diese Fertigkeit sollte für Luther später von großem Nutzen sein. Nach dem Magisterabschluss begann Luther mit dem Jurastudium. Bereits zu dieser Zeit hielt er Vorlesungen in den Artes liberales.

Das Jahr 1505 war für den damals gerade mal 22-jährigen Martin ein Jahr des Umbruchs. Dem Ziel, das sein erfolgreicher Vater für ihn vorgesehen hatte, einen entscheidenden Schritt näher, geriet er in sich selbst doch immer stärker in einen Zwiespalt. Als also der Jurastudent Martin Luther nach einem Besuch im Elternhaus zu Mansfeld auf dem Weg zurück an den Ort seiner Studien wanderte, überraschte ihn ein schweres Gewitter. Kurz vor dem Ziel, in **Stotternheim**, schlug der Blitz in der Nähe des schutzlosen Wanderers ein. Die heilige Mutter Anna fiel ihm als Erste ein. In Todesangst gelobte er:

„Hilf, du heilige Anna, ich will ein Mönch werden!"

Die heilige Anna war ihm vertraut, und die Schutzpatronin der Bergleute wurde auch um Schutz gegen Blitzschlag und Schäden durch Gewitter angerufen. So lag es nahe, dass sich der junge Student in seiner Angst an die heilige Mutter Anna wandte. Später schreibt Luther: *„Sankt Anna war mein Abgott."* Wobei er Abgott wohl so meinte, wie heute der Begriff „Maskottchen" gebraucht wird.

Lutherstein bei Stotternheim (und Rückseite)

Epitaph an der Nordwand der Augustinerkirche, Erfurt

EINTRITT INS KLOSTER

Ob dieses Gelöbnis auf den Stotternheimer Äckern bei Erfurt allein aus Furcht vor einem grausamen, richtenden Gott in der akuten Todesangst und völlig unbedacht ausgerufen worden war oder ob diesem Aufschrei eines suchenden Herzens ein langer Prozess des Ringens um die eigene Berufung vorausging, kann nicht abschließend beantwortet werden.

Für die Annahme, dass in dem jungen Mann aus Mansfeld schon länger ein intensives Nachdenken um die Gestaltung seines Lebens entbrannt war, spricht einiges. So hat Luther dieses einsame Gelöbnis konsequent in die Tat umgesetzt. Wohl sehr wenige Menschen, die sich völlig allein und im Affekt ein solch lebensveränderndes Versprechen herauszwingen, erfüllen dies tatsächlich.

Darüber hinaus spricht für dieses innere Ringen auch die Art und Weise, wie Luther Abschied von seinen Freunden nahm. Das Motto: „Seht doch, wie gut ist es und wie schön, wenn Brüder beieinander wohnen in Eintracht" pflegte der lebensfrohe Student nämlich auch in seiner Studienzeit. Mit seinen Freunden und Kommilitonen feierte er Mitte Juli 1505 ein feucht-

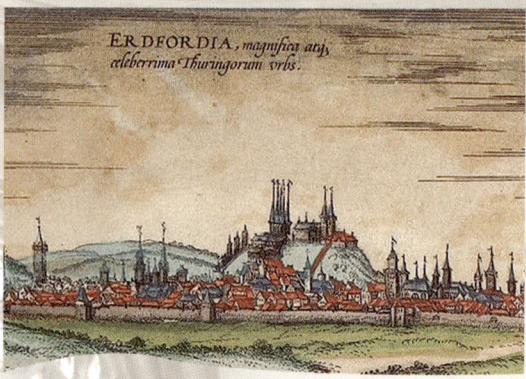

Historische Stadtansicht Erfurts, 1572

fröhliches Abschiedsfest und ließ sich am anderen Morgen etwas verkatert von diesen Freunden auch zur Pforte des Augustiner-Klosters in Erfurt begleiten. Der 17. Juli war der Tag, an dem Luther an die Klausurtür des strengen, frommen Hauses klopfte, um als Anwärter für die Gemeinschaft aufgenommen zu werden. Luther schloss sich einer Ordensgemeinschaft an, die für ihre Askese berüchtigt, für ihre Strenge berühmt und für ihre Gelehrsamkeit hoch angesehen war. Martin Luther hätte in Erfurt in sehr viele Klöster eintreten können. Dass er sich gerade das Kloster der Augustiner-Eremiten ausgesucht hatte, lässt die Ernsthaftigkeit seines Entschlusses erahnen. Er-

Der Engel erscheint einem der Weisen aus dem Morgenland. Steinrelief in der Augustinerkirche, Erfurt

Einer der Weisen aus dem Morgenland. Steinrelief in der Augustinerkirche, Erfurt

furt war zu der damaligen Zeit ein regelrechtes Klosternest. So gab es neben dem Dom und den wichtigen Stadtkirchen Klosterkirchen nahezu aller geläufigen Orden der damaligen Zeit. Davon zeugen die zahlreichen Türme, die auch heute noch die Silhouette der Stadt prägen. Natürlich sind längst nicht mehr so viele Ordensgemeinschaften in ihrem karitativen oder fürbittenden Dienst in der Stadt tätig. Viele Kirchen fielen den Folgen der Reformation und den Zerstörungen der Kriege zum Opfer.

Warum Martin Luther sich gerade für die strengen Augustiner-Eremiten entschieden hat, hat wohl unterschiedliche Gründe. Zum einen war dieser Orden für sein großes Interesse an der Wissenschaft und der Gelehrsamkeit bekannt. Das lag dem jungen Magister und Studenten der Jurisprudenz. Zum anderen befand sich aber das fromme Leben in etlichen Klöstern der Stadt in einem fürchterlichen Zustand.

Die Abtei der Benediktiner auf dem Petersberg war wieder in der liturgischen Tradition von Cluny angekommen. Sie gaben sich allein mit der Pflege ihres Besitzes und einem ausufernden Stundengebet zufrieden. Sogar den Predigtdienst in der Abteikirche hatten sie den Franziskanerbrüdern überlassen. Einige andere Klöster führten zu jener Zeit ein eher ärmliches Dasein, was die Kraft der Gemeinschaft anging. Das Wort aus dem Psalm: „Seht doch, wie gut ist es und wie schön, wenn Brüder beieinander wohnen in Eintracht" war den Schottenbrüdern, den regulierten Augustinern und den Serviten (Marienknechten) am Krämpfertor wohl mehr flehende Bitte als lobende Bestätigung. Ihr klösterliches Leben stolperte recht unbeholfen und kümmerlich vor sich hin. Es gab kaum eine Klausur, und die Gemeinschaft war sehr weltoffen. So kamen für den ernsthaften und wachen Geist Luthers lediglich die Erfurter Klöster der Dominikaner (Predigerbrüder), der Franziskaner (Barfüßer), der Kartäuser und der Augustiner-Eremiten infrage.

Gewölbe der Dominikanerkirche, Erfurt

Dom St. Marien und Severikirche, Erfurt

DIE AUGUSTINER

Das Kloster der Augustiner-Eremiten hatte besondere Züge, die für die Entscheidung Martin Luthers sicherlich ausschlaggebend waren. Er kannte die Gemeinschaft wohl bereits; zumindest hatte sich ein Konvent der Augustinerer-Eremiten auch in Eisleben, also in unmittelbarer Nähe zu Mansfeld, niedergelassen. In späterer Zeit sollte Luther als Ordensvikar auch dieses Kloster in seiner Geburtsstadt visitieren.

Der nahezu 750 Jahre alte Orden der **Augustiner-Eremiten** hat seine Wurzeln in der Tradition der Wüstenväter, die sich um ein Leben der kompromisslosen Christusnachfolge bemühten und sich in die Einsamkeit zurückzogen. Die Wüste – griechisch: eremos – galt seit jeher in der christlichen Spiritualität als Ort der Gottesbegegnung. Eremitische Lebensgemeinschaften hat es in der Kirche immer gegeben. Manche wurden zu Orden, andere blieben freie, autonome Einsiedlergemeinschaften. Der heilige Bruno etwa hatte mit der Gründung des Kartäuserordens die Tradition der Wüstenväter, speziell die des heiligen Antonius, in der monastischen Reform des Hochmittelalters neu gestalten können.

Die Geburtsstunde für die Augustiner-Eremiten schlug um einiges später. Im Jahr 1256 veranlasste Papst Alexander IV. den Zusammenschluss einiger italienischer Eremitengemeinschaften und stellte sie unter die alte Ordensregel des heiligen Augustinus.

Nun wies der Orden der Augustiner-Eremiten eine eigenartige Form monastischer Lebensweise auf. Ursprünglich in der Idee der Eremiten verwurzelt, beeinflussten gerade die im Mittelalter aufbrechenden religiösen Bewegungen den jungen Orden sehr stark. Man wird der damaligen Zeit nicht wirklich gerecht und sitzt eindeutig einer Fehlinterpretation auf, wenn heutige Zeitgenossen die Jahrhunderte zwischen 1054 und 1517 als finsteren Abfall vom christlichen Glauben deuten und entsprechend abwerten. Die politischen, wirtschaftlichen und religiösen Zustände waren sehr im Umbruch begriffen und brachten vieles hervor, was bis heute Auswirkungen hat.

So waren speziell die Bettelorden im gesamten Rahmen der Armutsbewegung eine Antwort auf die allgemeinen Missstände und eine besondere Umorientierung der gegebenen Frömmigkeit. Neben der Armutsbewegung waren die Bußbewegung, die „Vita apostolica"-Bewegung, die Bewegung der „Devotio moderna" und die Bewegung der Begarden- und Beginengemeinschaften Ausdrucksweisen gelebter Frömmigkeit, die sich bewusst auf eine konsequente Nachfolge Christi hin zu orientieren suchten. Der Wunsch dieser Gemeinschaften war es, dem Ideal der Urgemeinde in Lehre und Frömmigkeit zu entsprechen.

Diese Bewegungen waren größtenteils Laienbewegungen. Ihre berühmtesten Vorreiter waren wohl der französische Kaufmann Petrus Waldes und der italienische Händlersohn Francesco aus Assisi. Die Gemeinschaften hatten enormen Zulauf. „Zahlreich wie die Sterne des Himmels" traten Männer und Frauen in die bereits bestehenden oder sich neu gründenden Ordens- und Lebensgemeinschaften ein, um ein wahrhaft christliches Leben zu führen. Die Bettelorden konnten das Armutsideal innerhalb der

Kirche verwirklichen und vieles an Erneuerung und Reform bewirken. Andere Gemeinschaften wie die Albigenser, die Waldenser oder die Katharer rutschten in die Häresie ab oder wurden dahin abgedrängt und deshalb von den Verantwortlichen der Kirche unnachgiebig verfolgt. Sie lebten ihre Ideale schließlich außerhalb und neben der Kirche.

Weil also unterschiedliche Einflüsse auf die Ordensgemeinschaften einwirkten, blieben die Augustiner-Eremiten nicht in der Einöde, sondern begaben sich wie die anderen Bettelorden in die Städte und Dörfer, um ihr strenges Leben des Schweigens, Fastens und Betens in urbaner Umgebung zu leben. Dabei spielten die wachsende Bedeutung der Städte, der Aufstieg der Bürgerschaft, die Zunahme des Handels und die Ausweitung des Geldmarktes eine große Rolle. Betteln lohnte sich schließlich nur dort, wo Geld vorhanden war. Die großen Abteien der alten Orden hatten ihren Unterhalt bisher über Landbesitz und Handarbeit gewährleisten können. Das Armutsideal, das die Bettelorden zu leben beabsichtigten, schloss jedoch die Möglichkeit aus, auf Einkünfte aus

Gotischer Hochchor im Dom St. Marien zu Erfurt.
Blick aus dem Chorgestühl auf dem Hauptaltar

Gekreuzigter Christus,
Augustinerkirche

Landbesitz oder anderem Kapital zurückzugreifen. Deswegen war das Betteln die Form der Existenzsicherung, die für die neuen Orden, die Mendikantenorden, konstitutiv war.

Als Gegenentwurf zum sich formierenden „Frühkapitalismus" stellte das Ideal der Armutsbewegung aus christologischen wie sozialen Gründen zwar kein Novum, aber in seiner organisierten Form und wegen der großen Auswirkung eine Besonderheit dar. Das Betteln war zum verfassungsmäßigen, vom Papst autorisierten Alleinstellungsmerkmal geworden. Um Christi und der Menschen willen wollten die Gründerfiguren der Armutsbewegung das Leben dessen mitvollziehen, der reich war und um unseretwegen arm wurde, um uns „durch seine Armut reich zu machen" (2. Korinther 8,9). Einer charismatischen Gründerfigur des Ordens wie Dominikus oder Franziskus entbehrten die Augustiner-Eremiten aber. Die wichtigste Figur in ihrer Frömmigkeit und Theologie war und blieb immer der Bischof und Kirchenvater Augustinus. Insofern verwundert es nicht, dass die Augustiner-Eremiten derjenige Bettelorden waren, der mit der Frage nach dem persönlichen und gemeinschaftlichen Besitz großzügiger umgehen konnte, als das den Franziskanern und Dominikanern möglich war.

Taufe des Augustinus, Benozzo Gozzoli, 15. Jh.

Triangelportal am Dom St. Marien, Erfurt.
Der Erzengel Michael besiegt den teuflischen Drachen

DAS AUGUSTINERKLOSTER IN ERFURT

Der Konvent in Erfurt war zu Luthers Zeiten der größte und bedeutendste in der thüringisch-sächsischen Provinz. Von der kirchlichen Obrigkeit wurde dem Kloster im Jahr 1277 eine stattliche Zahl von Ablässen zugestanden, um den Kirchenneubau voranzubringen. Wie alle Bettelorden sollten die Augustiner-Eremiten sich nach dem Willen der Kirchenleitung der aktiven und weniger der kontemplativen Lebensform zuwenden. So engagierten sich die Mönche in der Seelsorge, in der Lehre und im Verkünden des Wortes Gottes.

In der großen Stadt Erfurt waren die neuen, in der Seelsorge aktiven Orden sehr vonnöten. Zwar gab es bereits an die 30 Pfarreien, die die ganze Bevölkerung in der Stadt umfassten. Aufgrund der Konkurrenzsituation zwischen der Pfarrgeistlichkeit der Gemeinden und den pastoral tätigen Geistlichen aus den Gemeinschaften der Mendikanten war es den Bettelorden laut Kirchenrecht nicht gestattet, eigene Gemeinden zu leiten und in bestimmten Pfarrgebieten die Seelsorge zu übernehmen. Die Menschen Erfurts suchten sich aber trotz Gemeindezwangs die Kirchen aus, in denen sie zum Gottesdienst gehen wollten. Bis auf die seelsorgerlichen Vollzüge, die dem sogenannten Pfarrbann unterlagen – das heißt, dass die Gemeindeglieder für die Taufe, für die Osterbeichte, die Osterkommunion und das Begräbnis an den für sie zuständigen Geistlichen verwiesen waren –, konnten die Christen der damaligen Zeit sich die Gemeinde aussuchen, die sie besuchten. Die Kirchen der Ordensgemeinschaften waren nicht zuletzt deshalb attraktiv, weil die Geistlichen der Klöster schlicht die besseren Seelsorger waren. Das lag vor allem daran, dass die Bildung in den Konventen durch Studium und ständig weiterführende Lektüre wesentlich höher war als bei den Klerikern im Gemeindedienst, aber auch an der bewussten Lebensweise,

Fenster in der östlichen Chorwand, Augustinerkirche, Erfurt

die durch klösterliche Disziplin und asketische Grundhaltung geprägt war. Trotz der Spannungen, die es in diesen Zusammenhängen gab, gingen die Pfarrkirchen daher mehr und mehr dazu über, Mitglieder der Bettelorden in ihren Kirchen predigen und seelsorgerlich tätig sein zu lassen.

„Wie viel du glaubst, so viel du liebst. "

Die Predigt der Erfurter Augustiner-Eremiten war jedoch nicht allein auf die Stadt Erfurt begrenzt. Allein schon durch die Grundidee dieser monastischen Lebensform war das Wanderpredigertum in Grundzügen mitgedacht. Anders als die alten Ordensgemeinschaften gelobten die Mitglieder der Mendikantenorden keine „stabilitas loci"; sie waren also nicht an einen Ort und ein konkretes Kloster gebunden, sondern verstanden sich als Personenverband, der sich auf mehrere Klöster einer Provinz erstreckte.

Augustinerkloster

Zwischen diesen Klöstern waren Versetzungen jederzeit möglich, was beispielsweise für Mönche einer Abtei der benediktinischen Tradition undenkbar gewesen wäre. So war es auch möglich, dass Luther als Distriktsvikar des Ordens von Wittenberg aus die anderen Klöster des Ordens besuchte und seine Impulse im Orden selbst verbreitete. Auch das Kloster am Stadtrand von Eisleben wurde von Luther visitiert und letztendlich von ihm aufgehoben. Der erst 1514 begonnene Bau der Klosterkirche St. Annen wurde nie zu Ende gebracht.

Die Klostergebäude, wie sie sich heute darstellen, sind eine der besonderen Lutherstätten in Deutschland. Das Kloster als Bauwerk hat eine bewegte Geschichte hinter sich. Sowohl über das Leben und Sterben in seinen Mauern als auch über sich selbst könnten die Steine des evangelischen **Augustinerklosters zu Erfurt** viel erzählen. Wichtig für Entdeckungen im Blick auf die klösterliche Zeit Martin Luthers sind vor allem die Kirche und der Kreuzgang.

Die Kirche stellt in ihrer Architektur eine typische Bettelordenkirche dar. Die schlichte Ausstattung und die architektonische Gestaltung des Raumes lassen die Kirche als „Prototyp" der Bettelordenarchitektur in Mitteldeutschland gelten. Die hölzerne Spitztonne, der gerade Chorabschluss und die äußerst zurückhaltende Ausmalung des Inneren geben das mendikantische Ideal wieder. Strenge und Funktionalität bei gleichzeitig möglichst hoher Ehrerbietung Gottes kennzeichnen die Architektur der frühen Bettelordenkirchen.

Besonders hervorzuheben sind in der Kirche die **Fenster des Chorraumes,** die Martin Luther bereits so gesehen hat. Sie dürften in den ersten

Jahren des 14. Jahrhunderts entstanden sein. Das jüngste von ihnen ist in die nördliche Wandseite des Chores eingebaut. Dort werden Szenen aus dem Leben des heiligen Augustinus dargestellt.

Dieses Fenster ist insofern etwas Besonderes, weil in den Darstellungen das theologische Programm der eremitischen Augustinergemeinschaft verdeutlicht wird. Die Bilder in den Glasflächen sollen die Armut, den Gehorsam und die Gelehrsamkeit des Bischofs Augustinus von Hippo so wiedergeben, dass sie den betenden und betrachtenden Mönchen als klösterliche Grundhaltung vor Augen stehen – dies insbesondere in der Abgrenzung zu den anderen großen Bettelorden, weil das Leben des bekehrten Augustinus für unbedingte Treue, für Disziplin und für hohe Gelehrsamkeit steht. Der Blick auf das Leben des Augustinus sollte die betenden Mönche an den heiligen Augustinus als Beispiel für Bekehrung, Brüderlichkeit, Wissenschaftlichkeit und Christusliebe erinnern. Leider sind nicht alle Fensterflächen im Original erhalten, sodass zum einen die logische und biografische Reihenfolge durcheinandergeraten ist, und zum anderen manche Bildflächen durch Darstellungen aus dem Leben des heiligen Martin von Tours ersetzt worden sind.

Kreuzgang des Augustinerklosters, Erfurt

Die drei Fenster an der gerade abschließenden östlichen Chorwand fallen dem eintretenden Besucher sofort ins Auge; heben sie sich doch in ihrer Buntheit und Strahlkraft von der nüchternen Ausstattung der Kirche kontrastreich ab. Die beiden seitlichen Fenster tragen ornamentale und symbolhafte Malereien. Das nördliche Fenster erscheint wie ein orientalischer Wandteppich. Gut erkennbare Bilder von Löwen, Papageien und Blattwerken wechseln einander ab. Die dargestellten Vögel symbolisieren die Reinheit

Kreuzgang im Kloster

der Jungfrau und Gottesmutter Maria, die Löwen stehen für den „Löwen von Juda", das Christussymbol für die Kraft und Unbesiegbarkeit des Auferstandenen. Auf dem untersten Fensterbild wird eine Rose von zwei Löwen umrahmt. Diese Rose hat wohl als Vorbild für das Familienwappen Luthers gedient. Denn dieses Bild hatte er tagtäglich mehrere Stunden als singender und betrachtender Mönch vor Augen. Glaube, Liebe, Hoffnung, Treue, Beständigkeit, Reinheit und Mut: Diesen Tugenden wird Luther sich aus seiner Christusbeziehung heraus zutiefst verbunden gefühlt haben.

Das südliche Fenster ist eine künstlerische Meisterleistung der Ornamentik. Es sind keine figürlichen Darstellungen abgebildet; vielmehr fasziniert ein kunstvolles Ineinander geometrischer Figuren. Das Mittelfenster stellt verschiedene Szenen aus dem Leben und der Passion Jesu dar, wobei die wichtigen Ereignisse der Geburt und der Kreuzigung fehlen. Bei diesem Fenster wird es sich wohl ähnlich verhalten wie bei den Fenstern der Augustinusvita – vermutlich wurde die Fensterreihenfolge im Laufe der Zeit durch Zerstörungen verändert. Das Fenster an der Westseite zwischen den Orgeltürmen ist nach dem Zweiten Weltkrieg eingebaut worden. Dort sind die wichtigen Figuren des Alten Bundes, Abraham, Mose und Elia, mit den vier Evangelisten und Paulus als gemeinsame Verkünder der biblischen Botschaft des liebenden und sich offenbarenden Gottes dargestellt.

Der Kreuzgang des Klosters ist nach der Zerstörung im Zweiten Weltkrieg wieder aufgebaut worden. Er stellt in seiner Klarheit und Nüchternheit ebenfalls den Grundtypus asketischer Bettelordenarchitektur dar.

An den Ostflügel des Kreuzgangs schließt sich der Kapitelsaal an. Für die Mönchsgemeinschaft war das ein besonders wichtiger Ort. Dort fanden die Einkleidungen der jungen Mönche, die Schuldkapitel und die wichtigsten Besprechungen der klösterlichen Gemeinschaft statt. Heute dient der schöne Raum als Winterkirche und als Veranstaltungsraum für kulturelle Ereignisse.

Da dieser Raum den Mönchen vorbehalten war, die dem Kloster bereits auf Lebenszeit angehörten, dürfte ihn der junge Ordenspostulant Martin Luther zunächst nicht betreten haben. An dem Tag, an dem er die Klosterpforte durchschritt, musste Martin Luther im Gästetrakt Wohnung nehmen und dort einige Wochen verbringen – „Kloster auf Zeit", sozusagen. Die monastischen Regeln aller Gemeinschaften verbieten es bis heute, einen Interessenten ohne Prüfung seiner Motivation unmittelbar in die Gemeinschaft aufzunehmen. In den Wochen als Gast hatte der Konvent mit seinem Prior die Möglichkeit, den Anwärter näher kennenzulernen und zu sehen, ob er wirklich Gott suchte und zur Gemeinschaft passte. Auch der junge Luther lernte die Struktur und die Gewohnheiten des klösterlichen Tagesablaufes sowie die Mitbrüder kennen. In diesen Wochen dürfte auch der Zeitpunkt anzusetzen sein, an dem Martin seine Eltern über den Klostereintritt in Kenntnis setzte. Die Reaktion der Eltern, vor allem die des Vaters, fiel ungehalten aus, hatte er doch bereits Heiratspläne für den jungen Magister und künftigen Juristen geschmiedet. Sogar die Respektserweise an den

Magister nahm er zurück. Hatte er Martin seit dessen Ernennung zum Magister mit „Sie" angesprochen, so entzog er ihm dieses Privileg nun wieder und duzte ihn. Martin Luther schreibt darüber:

„Do ich ernstlich ein Mönch wardt, do wollte mein Vater auch tolle werden, war übel zufrieden und wolt mirs nicht gestatten, und ich wolts gleichwol auch mit seinem wissen und willen thun. Do ich's ihm schriebe, antwort er mir schriefftlich widder und hies mich Du – zuvor hies er mich Ir, weil ich Magister war – und sagte mir allen gonst und veterlichen willen gar abe."

JOHANN VON STAUPITZ

„Es ist zu schwer, dass ein Mensch sollte glauben, dass ihm Gott gnädig sei. Das menschliche Herz kann's nicht fassen. Wie geschah mir? Ich erschrak einmal vor dem Sakrament, das Doktor Staupitz zu Eisleben in der Fronleichnamsprozession trug. Da ging ich auch mit und hatte ein Priesterkleid an, beichtete es hernach Doktor Staupitz, und er sagte mir: ‚Ihr denkt nicht an Christus.' Gut hat er mich durch dieses Wort getröstet. So sind wir."

Eine der wichtigsten und prägendsten Persönlichkeiten im Leben des jungen Martin Luther war sein Lehrer, Oberer und Mentor **Johann von Staupitz**. Dieser hörte sich die tägliche Beichte des skrupulösen Mönches Luther geduldig an und blieb ihm ein treuer Bruder. In den tiefen Anfechtungen auf der Suche nach dem gnädigen Gott, in der großen Angst vor der (in seinen Augen übermächtigen) Heiligkeit Gottes und in der Not einer von der Sünde verletzten Seele stand in Staupitz ein geistlicher Vater an Luthers Seite, wie er ihn besser nicht hätte finden können. So war es auch die Begleitung dieser väterlichen Autorität, die Luther in seinem Fortkommen auf dem Weg zu Gott hilfreich war. Die Frömmigkeit von Johann von Staupitz wurzelte in einer tiefen Christusverbundenheit. Diese lehrte er den

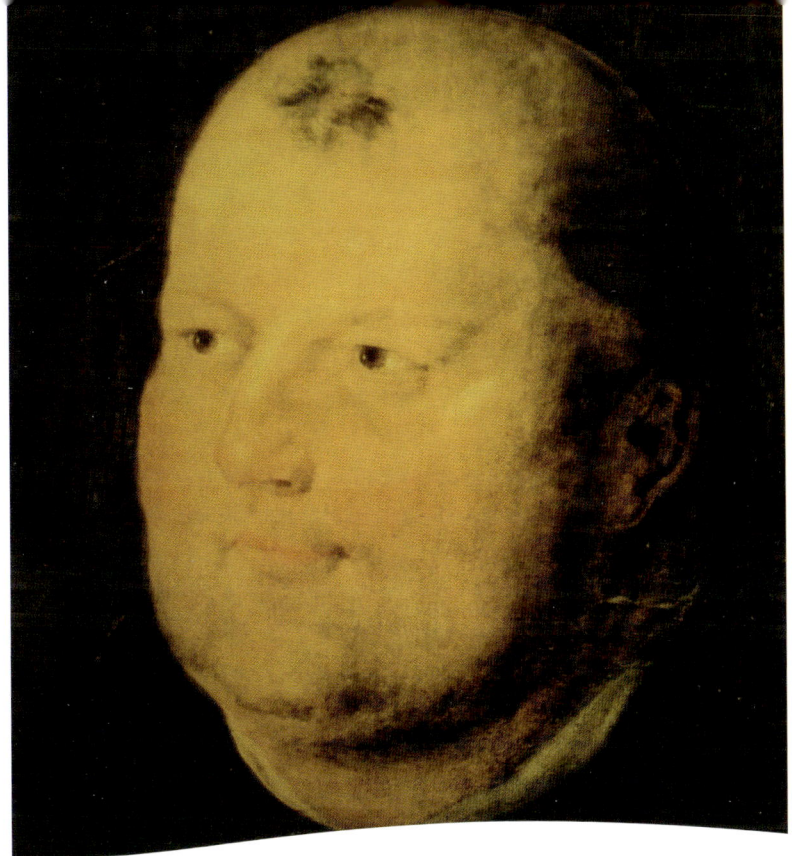

Porträt Johann von Staupitz

jungen Mönch mehr und mehr: *„Wenn du über die Vorherbestimmung strei-*
ten willst, so beginne bei den Wunden Christi, und schon ist die Disputation
zu Ende. Man muss den Mann ansehen, der da heißt Christus!" In den langen
und zahlreichen Gesprächen entwickelte sich eine tiefe Freundschaft zwischen dem geduldigen, weisen Älteren und dem ungestümen, zweifelnden
Eiferer.

Staupitz förderte Luther aber nicht nur geistlich, sondern auch intellek-
tuell. Er gebot als der Ordensobere, dass Luther Theologie studieren solle,
was nahelag, da Luther ja bereits den Magistergrad erworben hatte. Jedoch
nicht genug: Staupitz holte Luther auch in den Lehrbetrieb und empfahl
ihm, das Theologiestudium nach der Priesterweihe zu vertiefen und den
Doktorgrad anzustreben.

Beides – sowohl die Weihe zum Priester wie auch die Promotion zum Doktor Theologiae – brachte Luther in tiefe Bedrängnis. Bei seiner ersten selbstständig zelebrierten Messe, seiner Primiz, wollte er auf und davon laufen. Nur Staupitz hielt ihn davon ab. Staupitz dachte, er könne den Gewissensqualen des jungen Mönches mit einer Art „Arbeitstherapie" zu Leibe rücken und ihm seine Seele erleichtern: *Ihr müsst Doktor werden und Prediger, so kriegt ihr was zu schaffen.* " Doch die viele Arbeit brachte Luther weder Lösung noch Erlösung. Diese fand er schließlich nach langem Ringen in Christus selbst. Wann dieser Durchbruch im Leben Martin Luthers anzusetzen ist, bleibt in der historischen Forschung umstritten. Ein Brief, der aus dem Jahr 1516 erhalten ist, lässt aber erkennen, dass das Herz des Paters Augustinus – vermutlich war das der Ordensname Luthers – schon zur Ruhe gefunden hatte, wie sein heiliger Ordensvater sagt: *„Unruhig ist unser Herz, bis es Ruhe findet in dir."*

Brief Luthers an seinen Mitbruder Georg Spenlein, 8. April 1516

„Außerdem möchte ich gern wissen, wie es um Deine Seele steht, ob sie denn nicht endlich, ihrer eigenen Gerechtigkeit überdrüssig, lernt, in Christi Gerechtigkeit aufzuatmen und auf sie zu vertrauen. Denn heutzutage brennt die Versuchung der Vermessenheit in vielen Menschen und in denen besonders, die mit allen Kräften gerecht und gut sein wollen. Sie kennen die Gerechtigkeit Gottes, die uns in Christus so überreichlich und umsonst geschenkt ist, nicht und trachten, aus sich selber so lange Gutes zu tun, bis sie die Zuversicht haben, vor Gott bestehen zu können, gleichsam bekränzt mit ihren Tugenden und Verdiensten, was doch unmöglich sein kann. Du lebtest hier bei uns auch in dieser Meinung, vielmehr, diesem Irrtum; und auch ich bin darin gewesen, ja, noch jetzt kämpfe ich gegen diesen Wahn und habe noch nicht ausgekämpft.

Darum, mein herber Bruder, lerne Christus, und zwar den gekreuzigten; lerne ihm singen und in der Verzweiflung an Dir selbst zu ihm zu sagen: ,Du, Herr Jesus, bist meine Gerechtigkeit, ich aber bin Deine Sünde. Du hast auf Dich genommen, was mein ist, und mir geschenkt, was Dein ist. Du hast auf Dich genommen, was Du nicht warst, und mir geschenkt, was ich nicht war.'

Sei auf der Hut, dass Du nicht eines Tages zu solcher Reinheit strebst, dass Du Dir gar nicht als Sünder vorkommen, ja gar keiner mehr sein willst. Christus aber wohnt nur bei den Sündern. Darum ist er doch vom Himmel herabgestiegen, wo er bei den Gerechten wohnte, damit er auch bei den Sündern wohne. Dieser seiner Liebe sinne immer wieder nach, und Du wirst seinen allersüßesten Trost erfahren. Denn wenn wir durch unser eigenes Sorgen und Grämen zur Ruhe des Gewissens gelangen müssten - wozu wäre er dann gestorben? Darum wirst Du nur in ihm durch getroste Verzweiflung an Dir und Deinen Werken Frieden finden und dazu von ihm selber lernen, dass er, wie er Dich angenommen und Deine Sünden zu den seinen gemacht hat, so auch seine Gerechtigkeit zu der Deinen gemacht hat.

Unselig aber ist die Gerechtigkeit dessen, der andere, die er für schlechter hält als sich selbst, nicht ertragen will und auf Flucht und Rückzug in die Einsamkeit sinnt, da er doch bei ihnen bleiben und ihnen in Geduld, im Gebet und durch sein Beispiel hilfreich sein sollte. ... Wenn Dir also etwas fehlt, wirf Dich dem Herrn Jesus zu Füßen und bitte ihn darum. Er wird Dich alles lehren - siehe nur an, was er für Dich und für alle getan hat, damit auch Du lernst, was Du für andere zu tun schuldig bist. Wenn er nur unter Guten hätte leben und nur für seine Freunde hätte sterben wollen, für wen wäre er denn dann überhaupt gestorben, oder mit wem hätte er jemals leben können?

Danach tue, mein lieber Bruder, und bete für mich, und der Herr sei mit Dir. Lebe wohl im Herrn."

Neben der Augustinerkirche, in der heute wieder klösterliches Leben den Takt des Alltags zwischen Gebet und Arbeit angibt, sind noch andere wichtige Orte, die mit Luther direkt oder indirekt verbunden sind, zu entdecken. An erster Stelle ist der **Dom St. Marien** zu nennen, seines Zeichens Kathedrale des Bistums Erfurt, und daneben die ebenfalls katholische **St.-Severi-Kirche**. Das Ensemble der sechs Turmhelme auf dem Domberg zu Erfurt ist weltweit einmalig. Kommt man vom Domplatz her, bietet sich der Blick auf die Ostseiten der Kirchen. Die breiten Domstufen zeigen die innige Verbindung der Kirchen mit dem Leben und Treiben der Stadt. Die Vorgängerbauten beider Kirchen gehen auf die Zeiten der frühen christlichen Mission zurück. Schon die Kirche des ersten Erfurter Bischofs wurde an der Stelle des heutigen Domes erbaut. Zwar war Erfurt nicht lange Bischofssitz, die Bedeutung dieser Kirche aber blieb erhalten. Seit 1994 ist die durch umfangreiche Bautätigkeit in romanischer und gotischer Zeit entstandene Stiftskirche St. Marien wieder Bischofskirche der neu gegründeten Diözese Erfurt.

Der Dom zeichnet sich durch seine Kunstwerke aus, die der Besucher in aller Ruhe betrachten sollte. Vor allem der hohe Ostchor sticht durch seine uralten Fenster hervor, die die Bildsprache der Bibel und der Heiligenviten sprechen. Der von einem mächtigen Chorgestühl umrahmte Raum bildet bei Sonnenschein einen von himmlischem Licht erfüllten Gebetsraum, in dem das Herz zu Gott erhoben werden kann.

Dieser Ort war für Martin Luther sehr bedeutsam, lag er doch zehn Jahre vor der Veröffentlichung seiner 95 Thesen ausgestreckt vor dem Altar des

Dom St. Marien und Severikirche

Dom St. Marien, vom Westchor aus

Domes St. Marien und empfing die Priesterweihe. An diesem Tag wird wohl auch die weltberühmte „Gloriosa", die Mutter aller Glocken, ihre Stimme über Erfurt erklingen haben lassen. Die „Gloriosa" ist die größte frei schwingende mittelalterliche Glocke Europas. Außerdem zählt sie zu den klangschönsten Glocken der Welt.

Unmittelbar neben der Kathedrale steht die Pfarrkirche St. Severi, deren Ursprung wahrscheinlich noch vor der Ersterrichtung des Domes liegt. Es wird sich um den romanischen Vorgängerbau einer Klosterkirche eines Nonnenordens gehandelt haben, der später durch eine bedeutende Stifts-herren-Gemeinschaft ersetzt wurde. Bis heute dient die Kirche als Gottes-dienstraum der Pfarrgemeinde. Anders als der Dom, dessen verschiedene Bauphasen aus der Romanik und der Gotik im Bauwerk zu erkennen sind, ist die Severikirche in der Spätgotik zu einem einheitlichen fünfschiffigen Hallenkirchenraum gewachsen.

KIRCHEN IN ERFURT

Erfurt verfügte zu Luthers Zeit über fast 30 Kirchen. Die meisten der wich-tigen Ordensgemeinschaften hatten eine Niederlassung in der Stadt oder in unmittelbarer Nähe. Von den Augustiner-Chorherren im Reglerkloster bis zu den Zisterzienserinnen im Mariengarten bei St. Martini war alles vertreten. Viele der Kirchen werden heute nicht mehr als Gottesdienst-räume genutzt. Von einigen sind nur noch Ruinen oder Reste erhalten; die **Nikolai**- und auch die **Bartholomäuskirche** etwa sind nur noch als Turmfragmente zu besichtigen. Von den Domstufen aus betrachtet, prä-gen die aufragenden Spitzen der vielen Glockentürme nach wie vor das Stadtbild.

Für den Besucher in Erfurt sind neben dem Domberg auch die beiden großen Klosterkirchen der anderen Bettelorden wichtig. Die **Kirche der Minderbrüder**, also der Franziskaner oder Barfüßer, ist ein faszinieren-der Bau. Obwohl sie leider nur noch als Ruine erhalten ist, strahlt sie doch

Barfüßerkirche, Erfurt

gerade in ihrer Fragmentarität die Idee und die Faszination der Armutsbewegung ungebrochen aus. Es lohnt sich, die Mauerreste aufmerksam
zu umwandern. Mauerwerk und Fenster fangen den umherschweifenden
Blick auf und lassen wunderschöne Details erkennen. Seit 1983 ist die Kirche Teil des Angermuseums, das auch das Kunstmuseum der Landeshaupt-
stadt des Freistaates Thüringen beherbergt.

Ebenso lohnenswert ist ein Besuch der nicht weit entfernten **Dominikanerkirche**. In ihrer Schlichtheit und Schönheit ist diese klassische Kirche
kaum zu überbieten. Die heute evangelisch genutzte Klosterkirche war Gebetsraum für die Dominikaner, die sich in der Stadt niedergelassen hatten.
Die Predigerkirche ist eine dreischiffige Basilika mit einem Kreuzrippen-
gewölbe. Der hohe Raum bringt deutlich das Programm des Predigeror-
dens zum Ausdruck. Ein Bereich dem Chorgebet hinter dem Lettner, der

Dominikanerkirche in Erfurt

Wigbertikirche, Erfurt

in der Mitte des Raumes errichtet ist, und ein Bereich der Predigt. Platz für die Menschen, die zum Gottesdienst in die Kirche strömten. Somit repräsentiert diese Kirche in besonders klarer Form und monumentaler Ausführung die Ideale der Bettelordenarchitektur und gehört zu deren schönsten und bedeutendsten Beispielen im deutschen Sprachraum.

Ganz wesentlich trägt dazu bei, dass trotz der beinahe 200-jährigen Bauzeit von 1270 bis etwa 1450 konsequent in den Formen der Anfangszeit weitergebaut wurde. Entstanden ist ein einheitlicher, geschlossener Gesamteindruck, der von der Weite und Tiefe des durch Pfeiler und Gewölbe klar gegliederten Raumes bestimmt wird. Von besonderer Schönheit ist die Orgel, die – wenn man Glück hat – auch während des Besuches erklingen kann.

Wer sich weiter auf den Weg machen will, Erfurts Kirchen zu entdecken, sei auf jeden Fall auf die **Klosterkirche St. Ursula** und die **Wigbertikirche** in der Innenstadt, am Anger, verwiesen.

Die Ursulinenkirche gehört zum Kloster und dem Konvent der Erfurter

Ursulinen. Die etwa 20 Nonnen, die sich der pädagogischen Arbeit verschrieben haben, sind in der Stadt sehr präsent. Ihr Kloster ist das einzige in der ganzen Stadt Erfurt, das alle Wirren der Zeit überstanden hat. Selbst die Säkularisation 1821 brachte dem Kloster nicht die Aufhebung. Die Kirche ist eine schlichte gotische Kirche, die dem Gebetsdienst der Ordensfrauen zweckdienlich ist.

Ebenfalls eine Klosterkirche war die heutige Kirche St. Wigbert. Auf dem Gelände befand sich erstmals 954 ein Handelshof, der ursprünglich dem großen Benediktinerstift Hersfeld gehörte. Bereits 1210 stand an dieser Stelle eine kleine Kapelle. Im Jahr 1259 wurde dann die Wigbertikirche als Pfarrkirche erbaut und schon sehr früh mit einem Kloster verbunden. Nachdem die Wirren der Reformation dazu führten, dass die Augustiner ihr Kloster 1559 verlassen mussten, kehrten die Mönche etwa hundert Jahre später, 1651, nach Erfurt zurück. Für ihr klösterliches Leben bekamen sie St. Wigbert zugewiesen.

Dort bauten sie sich bis 1665 ein neues Kloster, das bis zur Aufhebung 1824 genutzt werden konnte. Die Kirche ist bis heute katholische Pfarrkirche. Der Raum beeindruckt durch seine Schlichtheit und die überaus gelungene Komposition aus altem und neuem Interieur.

Nach gotischer und moderner Genügsamkeit wird der Besucher den gemäßigten Barockstil der **Schottenkirche St. Jacobi** als wohltuend empfinden. Die Schottenkirche gehört als früheres Benediktinerkloster in die lange Reihe der klösterlichen Gemeinschaftsbauten Erfurts. Als romanischer Bau angelegt, bietet sie einen Einblick in die Geschichte Erfurts. Die Mönche des Klosters, das von der berühmten Regensburger Abtei St. Jakob gegründet worden war, hatten verantwortungsvolle Ämter in der Stadt. Sie lehrten an der Universität und waren im Stadtklerus von großer Bedeutung.

Als rein romanische Kirche ist die **Reglerkirche**, die Kirche der regulierten Augustiner (also der Chorherren, die nach der Ordensregel des hl. Augustinus von Hippo leben, die Priesterweihe besitzen und die Ordensgelübde abgelegt haben) von Bedeutung.

Daneben wären noch etliche Kirchen in Erfurt zu entdecken. Welche davon Luther je wirklich gesehen und in welchen er gar gepredigt hat, wird sich abschließend nicht belegen lassen.

Schottenkirche St. Jacobi, Erfurt

„Aus einem Buch wirst du nimmer nichts Gutes beten. Du magst wohl daraus lesen und dich unterweisen, wie und was du bitten sollst und dich entzünden: Aber das Gebet muss frei aus dem Herzen gehen ohne alle gemachten und vorgeschriebenen Worte, und muss selbst Worte machen, nach denen das Herz brennt ..."

Das Erfurt der klösterlichen Gemeinschaften zieht den Besucher hinein in eine Welt, die allgemein die Vorstellung lebendig werden lässt, im Kloster gäbe es keine Hektik, keinen Streit und keinen Unfrieden. Man meint, an diesen Orten wäre so etwas wie „Stille" zu finden.

Tatsächlich sind die Klöster in unserer gegenwärtigen, oft doch sehr gehetzten Gesellschaft, die längst ihre tiefe Unfreiheit einzusehen beginnt, wieder so etwas wie ein Sehnsuchtsraum. Diese Orte und die stillen Menschen dort umkreist man scheu, weil man irgendwie vermutet, erhofft und mit leichter Gänsehaut befürchtet, dass es dort noch eine „Enklave des Wesentlichen" gibt.

Dies hatte wohl einst Luther auch angenommen. Und er verstand es – nicht nur aus Angst, sondern auch aus tiefem Glauben heraus –, seinen Dienst an dieser Welt darin zu sehen, genau das zu sein, was er und seine Mitbrüder als Mönche sein durften: eine Gottesgesellschaft. Eine Lebensgemeinschaft, die aufgrund des Wissens um die Ewigkeit, an der sie gebaut ist, genug Gelassenheit erfährt, um anachronistisch zu sein.

Reglerkirche in Erfurt

Erfurt als Ort Martin Luthers zu erkunden schließt vor allem seine Bildung und seine klösterliche Zeit ein. Die Jahre zwischen 1501 und 1511 haben den Menschen Martin Luther sehr geprägt. Die Freundschaft zu seinen Kommilitonen, die Nähe zu den Brüdern und Vätern in seinem augustinischen Zuhause und die Verantwortung für die ihm anvertrauten Menschen unter Kanzel und Katheder formen das Bild eines Bruder Martin, der zeitlebens der Einsamkeit fliehen wollte und die Gemeinschaft der Menschen suchte, die mit ihm zwar nicht immer einer Meinung waren, aber mit denen er stets eines Sinnes sein konnte. So wurde ihm das Gebet aus der Mitte des klösterlichen Tages zum Zuspruch und Anspruch.

WITTENBERG

„Ich hebe meine Augen auf zu den Bergen, woher kommt mir Hilfe?"
(Psalm 121, 1)

Wittenberg

Der „Weiße Berg", die Lutherstadt Wittenberg an der Elbe, ist als eines der wichtigsten Zentren politischer, kulturgeschichtlicher und künstlerischer Ereignisse im 16. Jahrhundert von großer Bedeutung für die Geschichte der Kirche und der deutschen Gesellschaft. Hier wirkten nicht nur Martin Luther und Philipp Melanchthon, auch andere weltberühmte Namen wie Lucas Cranach und Justus Jonas sind mit der Stadt verbunden.

Wittenberg wird bereits seit Jahrhunderten von internationalen mehr oder weniger namhaften Gästen aufgesucht – es ist ein wirklicher Pilgerort geworden. Ganz eigentümlich im Grunde, hatte doch Luther selbst das Wallfahrtswesen aus theologischen Gründen abgelehnt. Doch die Geschichte zeigt, dass diese Art der Verehrung bestimmter Orte und Menschen in der Frömmigkeit nicht einfach abzuschaffen ist. Schon wenige Jahre nach Luthers Tod beginnt sich eine eigene Wallfahrtskultur zu entwickeln. In unübersehbarer Analogie zu altgläubigen Bräuchen setzt sich eine Lutherverehrung durch, die als Phänomen unsere Beachtung verdient, und das ist nicht nur mit dem abschätzigen Begriff „Volksfrömmigkeit" abzutun. Im

Gegenteil. Die Lutherverehrung war eine Sache des leitenden Bürgertums, der Regierenden und der kirchlichen Obrigkeit. Die historischen Stätten, wie das Lutherhaus, das Melanchthonhaus, die Stadtkirche St. Marien und die Schlosskirche Allerheiligen, sind als Orte des Gedenkens über die Grenzen Europas hinaus bekannt geworden. Im Jahr 1996 sind sie auf die Liste des Weltkulturerbes der UNESCO aufgenommen worden.

Wohl keine Stadt in Deutschland ist mit der Person Martin Luthers und mit den Ereignissen, die unter dem Begriff der Reformation zusammengefasst werden, so sehr verbunden wie Wittenberg. Martin Luther wurde als Mönch zweimal nach Wittenberg geschickt. Sein erster Aufenthalt 1508 war nur von kurzer Dauer. Vornehmlich, um Vorlesungen zu halten, hatte die Ordensleitung ihn für wenige Monate an die Elbe gesandt. Im Jahr 1511 dann folgte die dauerhafte Versetzung. Im Herbst kam Luther in der Stadt an. Dort lebten zur damaligen Zeit etwa 2000 Menschen, eine neu gegründete Universität versprach aber erhöhte Zuwanderung, vor allem von Studenten. Wittenberg – der ins Griechische übersetzte Stadtname „Leucorea" (vom Griechischen leukos = weiß und oros = Berg) – soll für ihn später noch sehr wichtig werden.

WITTENBERGS GESCHICHTE

Wittenberg wurde 1180 zum ersten Mal urkundlich erwähnt und 1293 mit den Stadtrechten ausgestattet. Als Sachsen 1485 zwischen den beiden Brüdern des sächsischen Herrscherhauses der Wettiner, Ernst und August, aufgeteilt wurde, fiel Wittenberg an die ernestinesche Linie. Mit dem Besitz Wittenbergs war die Kurwürde verbunden, was für die damalige gesellschaftliche Situation von großer Bedeutung war. Hatten doch allein die Kurfürsten das Recht, den deutschen Kaiser zu wählen. In einer – vermutlich im Jahr 1000 gefälschten – Urkunde vom 12. April 965 wird belegt, dass das Gebiet einst slawisches Siedlungsgebiet war. In den ersten wirklich zuverlässigen Geschichtsquellen finden sich Erwähnungen aus dem Jahr 973 oder 1004. Der Name Wittenberg ist möglicherweise bereits im Jahr

1174 belegt, als in einer Urkunde ein gewisser Graf Thiedrich von Wittburc genannt wird.

Das Wachstum der Stadt und ihre Entwicklung sind eng verbunden mit der Politik des Geschlechtes der Askanier. Nachdem Bernhard von Sachsen 1180 die Herzogswürde von Sachsen erhielt, erbte sein Sohn Albrecht I. das Gebiet um Wittenberg und mit ihm die Herzogswürde Sachsens. Nach einer Urkunde vom 11. September 1227 errichtete die Herzogin in Wittenberg ein Franziskanerkloster, was auf eine bevorzugte Stellung des Ortes bei den Askaniern hinweist. Albrecht II. wiederum, der gemeinsam mit seinem Bruder Johann I. von Sachsen-Lauenburg regierte, hatte durch dessen Abdankung von seinem Schwiegervater Rudolf von Habsburg die Kurwürde erhalten. So war also auf Umwegen die Kurwürde nach Sachsen gekommen. Da sich Albrecht II. nun aber meistens in Wittenberg aufhielt, wurde der Ort mehr und mehr zur Residenz von Sachsen-Wittenberg.

Wittenberg selbst hatte sich von einer kleinen Siedlung mit Bauern, Handwerkern und Kaufmannsleuten zu einem Ort mit einem bestehenden Gemeinwesen entwickelt. Im Jahr 1293 verlieh Albrecht II. dann Wittenberg das Stadtrecht, um sich die Treue seiner Untertanen zu sichern. Somit konnte sich unter den Einwohnern Wittenbergs ein gehobenes Bürgertum entwickeln. Der Einfluss der Bürgerschaft wuchs rasch. Bald entstand eine Selbstverwaltung, und im Jahr 1317 gab es erstmals einen Rat. Dadurch nahm zwar der Einfluss der Askanier in der Stadt etwas ab, aber gerade diese Spannung blieb fruchtbar für Wittenberg, denn durch geschickte Politik wurde Sachsen-Wittenberg 1356 vom Herzogtum zum bestätigten Kurfürstentum. Eine starke Stadt in einem gestärkten Land: Wittenberg war kursächsische Hauptstadt geworden.

Dies währte aber nicht lange. Als Albrecht III. von Sachsen-Wittenberg starb, ging die sächsische Kurwürde des Hauses der Askanier an die Wettiner verloren, womit auch der Status einer kurfürstlichen Residenz verschwand.

Durch die 1485 herbeigeführte Leipziger Teilung Sachsens trennten sich die wettinischen Linien in Ernestiner und Albertiner. 1486 übernahm also der Ernestiner Friedrich der Weise die Kurwürde, wodurch Wittenberg erneut

Schlosskirche Wittenberg

zur kurfürstlichen Residenz wurde. Friedrich begann Wittenberg auszubauen, ließ eine neue Brücke über die Elbe schlagen und errichtete ein neues Residenzschloss an der Stelle des alten Askanierschlosses. Zu diesem Schloss gehörte auch die neue Stiftskirche Allerheiligen.

Trotz dieses Hin und Her der Mächte war und ist Wittenberg ein ziemlich verträumter Ort. Luther kam aus der Großstadt Erfurt in eine unscheinbare, arme und kleine Stadt, die mit ihren Häuschen und Hütten aus Lehm eher einem Dorf glich. Sicherlich war es aber damals schon so hübsch und ansehnlich, wie es sich heute – wieder – zeigt. Die Spuren der Vernachlässigung durch das DDR-Regime sind zwar zum Teil noch zu sehen, aber die Wunden heilen. Die heimelige Atmosphäre einer Provinzmetropole strahlt Wittenberg bis heute aus. Auch wenn die Stadt klein und überschaubar ist, füllt man sehr leicht einen Tag mit dem Anschauen all der geschichtsträchtigen Orte.

So war Wittenberg also zwischen den Jahren 1508 und der Mitte des 18. Jahrhunderts immer mal wieder zum Mittelpunkt wichtiger Geschehnisse geworden. Der Besucher wird vom großen Namen Wittenberg angezogen, aber vielleicht von der kleinstädtischen Atmosphäre überrascht sein. Kaum zu glauben, dass von hier aus die Geschichte Europas entscheidend beeinflusst worden sein soll! Doch diese eigenartige Spannung macht Wittenberg so besonders und reizvoll. Keine Worte könnten je wirklich beschreiben, wie sich das Erleben dieser Stadt anfühlt. Vieles wirkt auf den ersten Blick liebevoll hausbacken, prosaisch und schlicht. Etwas selbst gemacht muten die Umgebung der Stadt und das Flair der umliegenden Orte an. Und gleichzeitig atmet jeder Ziegel, jede Haustür und jeder Giebel die Besonderheit Wittenbergs.

Auch Luther hat schon eine ganz eigene Verbindung zur Stadt erkennen lassen: Während einer der Pestepidemien blieb er in Wittenberg. Dass fast die gesamte Universität den Ort verließ, dass der Kurfürst ihn nachdrücklich bat, sich vor der Pest in Sicherheit zu bringen, konnte ihn nicht dazu bewegen, die Stadt zu verlassen. Als im November 1527 erneut die Pest in Wittenberg ausbrach, nahm Luther Erkrankte in sein Haus auf und gab konkrete Hinweise für den Umgang mit der Krankheit. Die Kraft dafür wird ihm sein Blick auf Gott gegeben haben ...

„Ich hebe meine Augen auf zu den Bergen, woher kommt mir Hilfe?“

Der Reiz Wittenbergs liegt also besonders in den Spuren, die die vielgestaltige Geschichte hinterlässt. Das heutige Wittenberg ist nicht allein ein Produkt der reformatorischen Bewegung – obwohl die meisten Besucher wohl deswegen nach Wittenberg kommen –, sondern auch geformt und geprägt durch Kriege, Historismus, Sozialismus und die Wende der 90er-Jahre. Wittenberg allein als Ort der Reformation wahrzunehmen, wird dem Besucher so nicht gelingen können. Zu viele Deutungen und Versionen der Geschichtsschreibung verstellen den heutigen Blick auf die Vergangenheit, wie sie wirklich war.

Die Berge von Geschichte sind nicht zu erklimmen, ohne sich ständig bewusst zu sein, dass jeder Stein und jeder Felsbrocken hinzugetragen wurde. Erst aus einer anderen Perspektive kann so etwas wie Wahrheit erkannt werden. Luther selbst sagt einmal über Wittenberg: *„Die Wittenberger sind an der Grenze der Zivilisation; wären sie noch ein wenig weiter gerückt, so wären sie mitten in die Barbarei geraten.“*

Vor allem im Übergang des Spätmittelalters zur Neuzeit erfährt Wittenberg Bedeutung. Zwar entwickelte sich Wittenberg bis zum Anfang des 16. Jahrhunderts zu einer starken Festung an der mittleren Elbe, schaffte es aber zunächst nicht, über das Maß einer bescheidenen mittleren Stadt hinauszuwachsen. Heute zählt die Lutherstadt Wittenberg rund 50 000 Einwohner. Die alte Universität lebt wieder auf, als sei sie aus dem Dornröschenschlaf erwacht, und der Lehrbetrieb wurde wieder aufgenommen.

Die zeitweise weltberühmte Universität zu Wittenberg wurde einst von Friedrich dem Weisen in Konkurrenz zu Leipzig, der berühmten Universität mit Prager Ursprung im herzoglichen Sachsen, errichtet. Und sie war die erste von einem Landesherrn und nicht von der Kirche gegründete Universität im Heiligen Römischen Reich Deutscher Nation. Das hatte natürlich enorme Bedeutung, weil die Bildung begann, sich mehr und mehr vom Lehramt der Kirche zu lösen. Die akademische Elite versuchte, die geistliche Elite des Klerus zunehmend zu überwinden. Natürlich geschah das nicht von heute auf morgen, doch der Veränderungsprozess setzte mit dem aufkommenden Humanismus ein. Freilich blieben Geistliche weiterhin Professoren und Hochschullehrer, aber die institutionelle und inhaltliche Aufsicht über den Lehrbetrieb hatte die Verwaltung des kurfürstlichen Hofes inne. Friedrich gründete diese Universität vornehmlich,

Rathaus Wittenberg mit Lutherstatue

um Juristen, Mediziner und Theologen für die sächsisch-ernestinischen Landesteile Sachsens ausbilden zu lassen.

Von nun an wurde der kurfürstliche Hof zu einem Anziehungspunkt für schöpferische Kräfte. Es setzte ein regelrechter Bauboom ein. So wurde das Fridericianum (Altes Kollegium) als erstes Gebäude der Universität erbaut. Als Friedrich schließlich 1504 das Schwarze Kloster der Augustiner-Eremiten errichten ließ, war klar, wohin der Weg führte: Wittenberg sollte eine blühende Residenzstadt werden, in der sich Kunst, Kult und Kalkül zu einer hochrelevanten Mischung verbanden.

Der rasante Aufstieg begann also mit dem Regierungsantritt Friedrichs des Weisen von Sachsen im Jahr 1486. Als in späteren Jahren an der Wittenberger Universität mehr als 3000 Studenten immatrikuliert waren, war das Ziel scheinbar erreicht. Wittenberg und seine Universität waren um ein Vielfaches bedeutender und größer als die anderen deutschen Universitäten.

Aber nicht nur die Gelehrsamkeit zog die Menschen nach Wittenberg, auch die Kunst war gefragt in der Residenzstadt. So verließ Lucas Cranach der Ältere 1501 seine oberfränkische Geburtsstadt Kronach, um in Wien zu lernen. 1505 kam er nach Wittenberg, und seither ist sein Name mit der Stadt unmittelbar verbunden. Und auch

Portal Lutherhaus, Wittenberg

die Buchdruckerkunst konnte sich mehr und mehr etablieren. Die Stadt erlebte einen stürmischen wirtschaftlichen, sozialen und intellektuellen Aufschwung.

Die Lutherrose ist mit der Umschrift „VIVIT" versehen. Übersetzt bedeutet das: „Er (Jesus Christus) lebt". In einem Brief an den Nürnberger Ratschreiber Lazarus Spengler beschreibt Luther 1530 sein Wappen:

„Weil ihr begehrt zu wissen, ob meine Petschaft recht getroffen sei, will ich euch meine ersten Gedanken ..., die ich auf meine Petschaft als ein Merkzeichen meiner Theologie wollt fassen, anzeigen. Das Erste sollte ein Kreuz sein, schwarz im Herzen, das seine natürliche Farbe hätte, damit ich mir selbst Erinnerung gäbe, dass der Glaube an den Gekreuzigten uns selig macht. Denn so man von Herzen glaubt, wird man gerecht ... Solch Herz aber soll mitten in einer weißen Rose stehen, anzeigen, dass der Glaube Freude, Trost und Friede gibt ... darum soll die Rose weiß und nicht rot sein; denn weiße Farbe ist der Geister und aller Engel Farbe. Solche Rose steht im himmelfarbenen Feld, dass solche Freude im Geist und Glauben ein Anfang ist der himmlischen Freude zukünftig ... Und um solch Feld einen goldenen Ring, dass solche Seligkeit im Himmel ewig währet und kein Ende hat und auch köstlich über alle Freude und Güter, wie das Gold das edelste, köstlichste Erz, ist ... "

Dem heutigen Besucher soll Wittenberg als Stadt begegnen, deren Steine Geschichte erzählen. Beginnt man, vom **Lutherhaus**, also von Osten her, durch die Stadt zu gehen, kommen einem die wichtigen Adressen, Anwesen und Ansichten des Ortes Schritt für Schritt wie ein freundlicher Gastgeber entgegen. Von besonderer Schönheit und Schlichtheit ist das **Eingangsportal des Lutherhauses,** das aus dem Jahr 1540 stammt. Die beiden für Mitteldeutschland so typischen und zum Verweilen einladenden Sitznischen mit Baldachin fallen sofort ins Auge. Darüber formt sich ein geschwungener Kielbogen aus, der in einer Kreuzblume ausläuft. Die

Unterseiten der beiden Baldachine zeigen rechts das Familienwappen, die Lutherrose, und links eines der ältesten Steinbilder Luthers überhaupt. Diese Türumfassung hat Katharina von Bora ihrem Mann Martin einst zum Geburtstag geschenkt.

In den Gebäuden des Lutherhauses ist heute noch reges Leben. In einem Flügel befindet sich das evangelische Predigerseminar als Ausbildungsstätte junger Pfarrerinnen und Pfarrer. Auf der gegenüberliegenden Seite ist die Lutherhalle untergebracht, als Ausstellungsort alter Zeugnisse reformatorischen Wirkens – ein Museum, das die größte Sammlung reformationsgeschichtlicher Exponate weltweit beheimatet. Darin ist eine Dauerausstellung zu sehen, die sich unter dem Titel: „Martin Luther: Leben – Werk – Wirkung" ganz der Geschichte und der Person Martin Luthers gewidmet hat. Neben einem biografischen Rundgang gibt es auch thematisch vertiefende Teilausstellungen zum Alltagsleben der Familie Luther, zur Wirkungsgeschichte des Reformators und zur Reformation, wie sie sich als Medienrevolution manifestierte. Ein Raum, der besonderen Eindruck hinterlässt, ist die **Lutherstube**, das Zimmer der Familie Luther. Die Fenster und die Wandvertäfelungen sind Originale aus den Tagen des Reformators.

Weiterhin ist der große Hörsaal als eine der Hauptwirkungsstätten Luthers von besonderer Bedeutung. Aber auch hier, wie an den anderen Lutherorten, hat das historisierende und deutschtümelnde Gemüt seine Spuren hinterlassen. Der Raum wurde im 19. Jahrhundert zu einer „Weihehalle" für Luthers Lehrtätigkeit gestaltet.

Das ganze Ensemble war einstmals als Schwarzes Kloster der Augustiner-Eremiten bekannt. Dieses überschrieb der Kurfürst, nachdem das Kloster im Zuge der Reformation aufgelöst worden war, Martin Luther und seiner Familie.

Katharina von Bora, Statue im Garten des Wittenberger Lutherhauses

Lutherhaus im ehemaligen Schwarzen Kloster

Leucorea

Verlässt man das Lutherhaus und macht sich auf den Weg Richtung Stadt, kommt man auf der Collegienstraße an der altehrwürdigen Universität Wittenberg, der „Leucorea" vorbei. Das Gebäude erfreut von der Straßenseite in seiner ionischen Schlichtheit und Eleganz. Es wurde in Anlehnung an die klassischen Gebäude der Antike errichtet und war als beeindruckende Alma Mater konzipiert.

Die Leucorea ist heute wieder eine Außenstelle der **Martin-Luther-Universität Halle-Wittenberg**. Lange Zeit war das nicht so. 1817 traf der Preußenkönig Friedrich Wilhelm III. die folgenschwere Entscheidung, nach über 300 Jahren – genau 300 Jahre nach der Veröffentlichung der Ablassthesen Luthers – die Wittenberger Universität zu schließen und mit der Hochschule in Halle zu vereinigen. Der heutige Bau lässt den ursprünglichen Campus noch gut erkennen, dessen Bauten in der Zeit zwischen 1503 und 1511 entstanden. Das Haus, das direkt an der Straße liegt, wurde nach seinem Erbauer Kurfürst Friedrich benannt. In den oberen Stockwerken befanden sich einst die spärlichen und kargen Unterkünfte für die Studenten, die geräumigen Hörsäle fanden im Erdgeschoss ihren Platz.

PHILIPP MELANCHTHON

Unweit der Universität, ebenfalls direkt an der Collegienstraße, steht das **Melanchthonhaus**. Dieses Haus entstand auf Wirken des Kurfürsten als schmuckes, repräsentatives Stadthaus erster Adresse. Der Landesherr ließ das Haus errichten, um den Humanisten und Hochschullehrer Philipp Schwartzerdt – wie die deutsche Übersetzung von Melanchthon lautet – in Wittenberg zu halten.

Melanchthon hatte durch sein Wirken in Wittenberg ein so hohes Ansehen erlangt, dass ihm viele verlockende Angebote anderer Universitäten in Deutschland und Europa unterbreitet wurden. Johann der Beständige, der Nachfolger Friedrichs des Weisen, jedoch wollte den angesehenen Professor nicht gehen lassen und errichtete auf dem Grundstück seines bisherigen kleinen Refugiums 1536 ein standesgemäßes Haus.

Als Melanchthon mit seiner Familie 1537 in dieses Haus einzog, hatte das Ehepaar bereits vier Kinder. Der im Kurpfälzischen geborene Philipp Melanchthon war Martin Luther einer der treuesten und fähigsten Gefährten. Luther sagte einmal über Melanchthon: *„Mein Philipp Melanchthon, ein Jüngling dem Leib nach, ein Greis nach der ehrwürdigen Weisheit des Geistes, der mir im Griechischen als Lehrer diente ...“*

Sein Wesen war so ganz anders als das des Augustinermönches. Die beiden lernten sich wohl im Zusammenhang mit der Heidelberger Disputation im April 1518 kennen, also wenige Monate nach der Veröffentlichung der 95 Thesen. Melanchthon war von Luther beeindruckt und besuchte ihn in Wittenberg. Als der neu errichtete Lehrstuhl für Griechisch in Wittenberg besetzt werden sollte, kam Melanchthon schließlich als Universitätslehrer an die Elbe. Von da an sind die beiden Lebenswege Luthers und Melanchthons untrennbar verwoben.

Neben den alten Sprachen unterrichtete der hochbegabte, aber wegen seiner unscheinbaren Gestalt oft unterschätzte Melanchthon auch Philosophie und Theologie. Während Melanchthon Luther die alten Sprachen lehrte, begeisterte Luther den jungen Philosophen für die Theologie. Melanchthon unterrichtete viele seiner Schüler auch in den privaten Räumen seines Hau-

Philipp Melanchthon,
Lucas Cranach der Jüngere, 1559

Wittenberg

ses. Er ist ihnen wohl mehr ein naher Mentor und Berater gewesen als ein enthobener Universitätsprofessor. Daher war Melanchthons Haus einst ein lebendiger Ort, an dem sich familiäres Leben mit universitären Lehrveranstaltungen kreuzte. Das Haus, in dem Melanchthon lebte und auch starb, birgt heute ebenfalls ein Museum. Wo heute viele gebildete Besucher die Zimmer in gedämpfter und ehrfürchtiger Atmosphäre füllen, war einst reges Treiben um den gebildeten und geselligen Melanchthon. Das Museum vermittelt einen lebhaften Eindruck von Melanchthons Wirken im theologischen, politischen und historischen Kontext. Der Raum wirkt, als hätten der Magister und die Studenten ihn eben erst zur Mittagspause verlassen, um der wissbegierigen Visite der Heutigen nicht im Wege zu sein.

DER MARKTPLATZ

Im weiteren Verlauf der Collegienstraße kommt man auf den Marktplatz der Stadt Wittenberg. Der großzügige, von Renaissancebauten umringte Platz wird von den Denkmälern Martin Luthers und Philipp Melanchthons dominiert. Beide Denkmäler verdanken sich bereits höchster Lutherverehrung. Sie wurden in der ersten Hälfte des 19. Jahrhunderts entsprechend entworfen und errichtet. Welches Lutherbild damals vorherrschte, lässt sich an der Gestaltung der Denkmäler leicht ablesen. Hier steht nicht ein

Mönch, der um das Heil seiner Seele ringt und aus dem inneren Kampf um das Sichtbarwerden des „gnädigen Gottes" heraus es wagt, sich dem Papst und dem Kaiser entgegenzustellen – hier steht ein Nationalheld. Ein in Bronze erstarrter Gelehrter, der „hier steht und nicht anders kann". Sieht

Marktplatz in Wittenberg

man auf die beiden Denkmäler vor dem Hintergrund des großen Rathauses, hat man im Rücken die **Cranachhöfe**. Hier befanden sich einst die Werkstätten des „Malerunternehmers aus Franken", Lucas Cranach. Ein beeindruckender, verwinkelter Bau, der heute, nach aufwendiger Renovierung, wiederum Werkstätten, Ausstellungs- und Veranstaltungsräume beherbergt.

Wirft man nun einen flüchtigen Blick nach links, kann man schon den Turm der Schlosskirche mit seinen großen Lettern am Fries unter der Traufe erkennen: „Ein feste Burg ist unser Gott". Diese Worte aus dem Lied stehen programmatisch, ja nahezu als Aushängeschild über der deutschen Reformation. Diese Zeilen dichtete Martin Luther im Jahr 1529 und lehnte sich dabei in Textgestaltung und Melodieführung stark an die Hymnen der gregorianischen Gesänge, das heißt seiner monastischen Tradition an. Dieses Lied sollte zum Kampflied der Protestanten werden. Heinrich Heine nennt es die „Marseillaisehymne des Protestantismus".

Schlosskirche Wittenberg

Ein feste Burg ist unser Gott, ein gute Wehr und Waffen.
Er hilft uns frei aus aller Not, die uns jetzt hat betroffen.
Der altböse Feind, mit Ernst er's jetzt meint;
groß Macht und viel List sein grausam Rüstung ist,
auf Erd ist nicht seinsgleichen.

Mit unsrer Macht ist nichts getan, wir sind gar bald verloren;
es streit' für uns der rechte Mann, den Gott hat selbst erkoren.
Fragst du, wer der ist? Er heißt Jesus Christ,
der Herr Zebaoth, und ist kein andrer Gott,
das Feld muss er behalten.

Und wenn die Welt voll Teufel wär und wollt uns gar verschlingen,
so fürchten wir uns nicht so sehr, es soll uns doch gelingen.
Der Fürst dieser Welt, wie sau'r er sich stellt,
tut er uns doch nicht; das macht, er ist gericht':
ein Wörtlein kann ihn fällen.

Das Wort sie sollen lassen stahn und kein' Dank dazu haben;
er ist bei uns wohl auf dem Plan mit seinem Geist und Gaben.
Nehmen sie den Leib, Gut, Ehr, Kind und Weib:
lass fahren dahin, sie haben's kein' Gewinn,
das Reich muss uns doch bleiben.

DIE STADTKIRCHE ST. MARIEN

Doch die Schlosskirche darf noch etwas warten. Zunächst soll der Weg in die Stadtkirche Wittenbergs, **St. Marien,** führen. St. Marien ist als Predigtkirche Martin Luthers eng mit dem reformatorischen Geschehen in Wittenberg verbunden. Als der Augustinermönch Luther 1512 seinen Lehrauftrag an der Universität Wittenberg antrat, fand er die Kirche so vor, wie sie sich jedem Besucher heute noch zeigt. Die Marienkirche ist eng von Häusern umgeben; auf dem Platz dazwischen befand sich früher der Friedhof. Die kleine Kapelle war die dazugehörige Friedhofskapelle. Von außen ist die Stadtkirche St. Marien ein mächtiger Bau. Wenn man aus der näheren Umgebung zu ihnen hinaufsieht, verbergen die beiden Glockentürme in der Höhe ihre Spitzen. Der Blick bleibt eingeschränkt, da die Kirche aufgrund der dichten Umbauung nur aus der Ferne betrachtet ihre ganze Schönheit preisgibt.

Die Marienkirche ist das älteste Gebäude der ganzen Stadt. Ihren Ursprung hat die geräumige Kirche in einer kleinen, um 1300 errichteten Kapelle. Um das Jahr 1400 entstand das große Kirchenschiff, welches sich als eine wohlproportionierte, dreischiffige Halle darstellt. Die beiden Türme stammen aus der Zeit der Spätgotik; die darauf stehenden achteckigen Turmhäuser aus der Zeit nach Luthers Tod. Sie wurden 1556 errichtet. An der Turmseite, die sich mächtig gegen Westen erhebt, befindet sich auch das Hauptportal der Kirche. Durch das Westportal betritt man unter der niedrigen Empore den hellen Kirchenraum, eine gotische Halle in Reinform.

Der erste Blick fällt unweigerlich auf den **Hauptaltar.** Dieses Kunstwerk hat Lucas Cranach der Ältere im Jahr 1547 geschaffen. Der Altar stellt ein besonders eindrückliches Zeugnis aus der Reformationszeit dar. In den durch alle Geschicke der Zeit unversehrt erhalten gebliebenen vier Bildtafeln sind die Grundzüge lutherischen Gemeindelebens und reformatorischen Kirchenverständnisses dargestellt.

Die Protagonisten der Wittenberger Reformationszeit treten dem Besucher entgegen: Philipp Melanchthon – der nie die Priesterweihe empfangen hatte – tauft ein Kind, Martin Luther ist als Junker Jörg dargestellt, und Johannes Bugenhagen sitzt im geöffneten Beichtstuhl. Aber auch der Künstler selbst, ein wirklicher Freund und Vertrauter Luthers, sowie die Ehefrau des Reformators, Katharina von Bora, sind als Gemeindeglieder auf den Altarbildern zu erkennen. Auf der unteren Bildtafel, unmittelbar über der Altarplatte, ist Luther als Prediger dargestellt, der der Gemeinde den gekreuzigten Heiland vorstellt. Das Grundprogramm evangelischen Glaubens.

Im Altarraum steht der Taufstein. Er ist der älteste Gegenstand in der Kirche, 1457 wurde er in einer Nürnberger Werkstatt fertiggestellt. Über diesem Becken wurden die Kinder Martin Luthers getauft. In der Sakristei finden seit vielen Jahren Kunstausstellungen mit Objekten zeitgenössischer Künstler statt. Doch auch alte Kunst ist dort zu finden. An einer Wand ist ein Sandsteinrelief zu sehen: „Der Weltenrichter". Dort kann die Theologie und Frömmigkeit der Vorreformationszeit nachempfunden werden.

Die Kanzel ist ein Neueinbau; jene, von der Luther gepredigt hat, ist in der Lutherhalle zu sehen. Wer sich Zeit nehmen kann, sollte die Details in der Kirche suchen. Pausbäckige Engel, die Liedverse aus Luthers Feder auf Bannern tragen: „Nun freut euch lieben Christen gmein", oder die Gewölbeschlusssteine im Chorraum laden zur Entdeckung ein.

Nun freut euch, lieben Christen gmein,
Und lasst uns fröhlich springen,
Dass wir getrost und all in ein
Mit Lust und Liebe singen,
Was Gott an uns gewendet hat
Und seine süße Wundertat
Gar teur hat ers erworben.

Dem Teufel ich gefangen lag,
Im Tod war ich verloren,
Mein Sünd mich quälet Nacht und Tag,
Darin ich war geboren;
Ich fiel auch immer tiefer drein,
Es war kein Guts am Leben mein,
Die Sünd hat mich besessen.

Mein gute Werk, die golten nicht,
Es war mit ihn verdorben,

Luther als Junker Jörg, Detail des Cranach-Altars, Stadtkirche St. Marien, Wittenberg

Der frei Will hasset Gotts Gericht,
er war zum Gut erstorben.
Die Angst mich zu verzweifeln treib,
Dass nichts denn Sterben bei mir bleib,
Zur Höllen musst ich sinken.

Da jammert Gott in Ewigkeit
Mein Elend übermaßen,
Er dacht an sein Barmherzigkeit,
Er wollt mir helfen lassen.
Er wandt zu mir das Vaterherz,
Es war bei ihm fürwahr kein Scherz,
Er ließ sein Bestes kosten.

Er sprach zu seinem lieben Sohn:
Die Zeit ist hie zurbarmen,
Fahr hin, meins Herzens werte Kron,
Und sei das Heil der Armen
Und hilf ihm aus der Sünden Not,
Erwürg für ihn den bittern Tod
Und lass ihn mit dir leben.

Der Sohn dem Vater ghorsam ward,
Er kam zu mir auf Erden
Von einer Jungfrau rein und zart,
Er sollt mein Bruder werden.
Gar heimlich führt er sein Gewalt,
Er ging in meiner armen Gstalt,
Den Teufel wollt er fangen.

Er sprach zu mir: Halt dich an mich,
Es soll dir jetzt gelingen;
Ich geb' mich selber ganz für dich,
Da will ich für dich ringen;

Cranach-Altar St. Marien

Denn ich bin dein und du bist mein,
Und wo ich bleib, da sollst du sein,
Uns soll der Feind nicht scheiden.

Vergießen wird er mir mein Blut,
Dazu mein Leben rauben,
Das leid ich alles dir zu gut,
Das halt mit festem Glauben,
Den Tod verschlingt das Leben mein,
Mein Unschuld trägt die Sünde dein,
Da bist Du selig worden.

Gen Himmel zu dem Vater mein
Fahr ich von diesem Leben,
Da will ich sein der Meister dein,
Den Geist will ich dir geben,
Der dich in Trübnis trösten soll
Und lernen mich erkennen wohl
Und in der Wahrheit leiten.

Was ich getan hab und gelehrt,
Das sollst du tun und lehren,
Damit das Reich Gottes werd gemehrt
Zu Lob und seinen Ehren.
Und hüt dich vor der Menschen Satz,
Davon verdirbt der edle Schatz,
Das lass ich dir zu Letze.

LUTHER UND DIE JUDEN

An der äußeren Südwand des Chorraumes ist eine weitere Steinmetzarbeit zu sehen. Man muss den Hals etwas recken, doch es ist erkennbar: das Schmäh- und Spottbild auf die Juden, die mittelalterliche „Juden-

„Judensau" an der Südwand des Chorraums St. Marien

sau". „Rabini Schem Ha Mphoras", zu Deutsch, „der verstellte Name". Die Wortfolge Schem Ha Mphoras ist eine kabbalistische Buchstabenspekulation. Die drei Verse Exodus 14,19-21 haben je 72 hebräische Buchstaben. Sie wurden in drei Zeilen untereinandergeschrieben. Aus den drei untereinanderstehenden Buchstaben wurden 72 Engelnamen und 72 Aussagen über Gott gebildet, denen 72 Psalmverse zugeordnet wurden. Das Ergebnis gilt als ausgelegter Name Gottes und diente als Beschwörungsformel. Wer sie vorwärts und rückwärts aufsagen kann, vermag damit angeblich Tote aufzuwecken. Jesus von Nazareth soll nach jüdischen Legenden so seine Wunder getan haben: Jesus bemächtigte sich des Schem Ha Mphoras und vollbrachte damit Wundertaten, bis er entlarvt und hingerichtet wurde, hieß es in diesen Legenden.

1543 wandte sich Martin Luther in seiner Deutung des Reliefs in Bezugnahme auf diese Legenden äußerst polemisch gegen die Juden. Das Steinrelief zeigt Menschen und Schweine in intimem Kontakt. Die menschlichen Figuren weisen die typischen Kennzeichen jüdischer Kleidung auf – etwa den damaligen Judenhut. In der Darstellung saugen die als Juden kenntlich gemachten Figuren wie Ferkel an den Zitzen einer Sau, eine andere Figur hat das Gesicht dem Hintern des Schweins zugewandt und schaut unter seinen Schwanz. Eine besonders abwertende und erniedrigende Darstellung von Menschen jüdischen Glaubens, da Schweine im Judentum als unreine Tiere gelten, mit denen jeder Kontakt verboten ist. Noch dazu den heiligen Namen Gottes ins Spiel zu bringen, stellt eine ungeheuerliche Blasphemie dar.

Im Jahr 1988 wurde unter der mittelalterlichen Darstellung im Pflasterbereich des Kirchplatzes eine **Gedenktafel** in den Boden eingelassen. Die skandalöse jahrhundertelange Geringschätzung, Demütigung und Verfolgung von Menschen jüdischen Glaubens wird so deutlich benannt und bedauert.

Ja, auch Martin Luther hat sich antijudaistischer Aussagen schuldig gemacht. In den letzten Jahren seines Lebens versteigt sich der berühmt gewordene Reformator doch sehr in polemischen und auch unbiblischen Aussagen über das jüdische Volk. Dabei lässt sich in Luthers Schriften eine Entwicklung erkennen. Der frühe Luther war den Juden wohlgesonnen.

„Was können wir Gutes an den Juden schaffen, wenn wir sie nur mit Gewalt behandeln, ihnen Übles nachsagen und sie für Hunde halten? Wenn man ihnen verbietet, zu arbeiten und sie zum Wucher treibt – wie sollte sie das bessern? Man muss nicht des Papsts, sondern christlicher Liebe Gesetz an ihnen üben. Ob etliche halsstarrig sind, was liegt daran? Sind wir doch auch nicht alle gute Christen!"

Er betonte, dass Jesus aus dem Volk Gottes stammte. Von daher lehnte er jede Gewalt gegen Juden ab und trat gegen ihre gesellschaftliche Isolierung ein. Luther meinte, die Juden würden sich nach erfolgter Reformation der Kirche sowieso dem Christentum zuwenden und sich bekehren. In dieser Erwartung wurde Luther enttäuscht. Das führte wohl dazu, dass er im Laufe der Zeit zu einem ausgewiesenen Judenfeind wurde. In seinen späten Schriften dämonisiert Luther die Juden wie den Teufel selbst und erklärt sie zum ärgsten Feind des Christentums. Das wollte er zu allem Überfluss auch noch biblisch belegt wissen.

Mahnmal zur Judensau an der Wittenberger Stadtkirche

„Ein solch verzweifeltes, durchböstes, durchgiftetes, durchteufeltes Ding ist's um diese Juden, so diese 1400 Jahre unsere Plage, Pestilenz und alles Unglück gewesen sind und noch sind. Summa, wir haben rechte Teufel an ihnen. Wenn ich könnte, so würde ich ihn [den Juden] niederstrecken und in meinem Zorn mit dem Schwert durchbohren.

Jawohl, sie halten uns in unserem eigenen Land gefangen, sie lassen uns arbeiten in Nasenschweiß, Geld und Gut gewinnen, sitzen sie dieweil hinter dem Ofen, faulenzen, pompen und braten Birnen, fressen, sauffen, leben sanft und wohl von unserm erarbeiteten

Gut, haben uns und unsere Güter gefangen durch ihren verfluchten Wucher, spotten dazu und speien uns an, das wir arbeiten und sie faule Juncker lassen sein ... sind also unsere Herren, wir ihre Knechte."

Auf dem beschaulichen Weg durch Wittenberg mögen dieser unge-schützte Blick und die damit verbundenen Gedanken wohl einen sehr bitteren Beigeschmack hervorrufen. Natürlich, die Auseinandersetzung mit Schuld, mit Sünde und mit dem nie ausgleichbaren Soll in der Ge-schichte, in der Kirche und im persönlichen Leben ist bestürzend.

„Ich hebe meine Augen auf zu den Bergen, woher kommt mir Hilfe?"

Die Geschichte der Kirche ist mit Schuld beladen. Schönzureden gibt es da nichts, und keine Konfessionskirche kann sich selbst davon frei-sprechen. Sünde hat es in der Christenheit immer gegeben. Die „Hilfe" kam immer und kommt nur „vom Herrn, der Himmel und Erde gemacht hat". Diese Gedanken dürfen nun mitgenommen werden auf dem Spazierweg über die Schlossstraße an den Bürgerhäusern Wittenbergs vorbei bis zur Schlosskirche. Links und rechts säumen gefällig renovierte Renaissancefassaden den Weg an das andere Ende der Altstadt. An den Hauswänden hängen weiße Emailleschilder. Darauf stehen Namen, die sich in ihrem Nacheinander lesen wie ein gesammeltes Telefonbuch deutscher Geistesgeschichte. Es scheint so, als winkten die Goethes und Zinzendorfs scheu hinter den Vorhängen der Fensterfronten hervor. Paul Gerhardt, Anton Wilhelm Amo und Gotthold

Wohnhaus Paul Gerhardts in Wittenberg

Ephraim Lessing haben hier studiert. Man schreitet durch ein Spalier vergangener, bedeutenderer Tage. Auch das ist Geschichte. Aber, wer war noch mal Johann Friedrich Böttger? Der schwache Hauch des Vergessens. Die vage Angst, einst selbst völlig vergessen zu sein.

„Ich hebe meine Augen auf zu den Bergen, woher kommt mir Hilfe?

Er segne meinen Eingang und … ja … stimmt, meinen Ausgang, von nun an bis in Ewigkeit. So geht man vorbei und wäre gerne stummer Zeuge – für einen kurzen Augenblick nur – der Gespräche, Begegnungen und Ideen, die hinter den herausgeputzten Fassaden einst gesponnen wurden. So nah und doch unendlich fern. Rechts plätschert der kleine Stadtbach durch seine Sandsteinfassung. Schmucke Läden und gemütliche Cafés laden zur Zerstreuung ein.

„Es liegt deine Seligkeit nicht darin, dass du glaubst, Christus sei den Frommen ein Christus, sondern dass er DIR ein Christus und auch DEIN sei. Dieser Glaube bewirkt, dass dir Christus lieblich gefällt und süß im Herzen schmeckt; dann folgen Liebe und gute Werke ungezwungen nach. Folgen sie aber nicht, so ist dieser Glaube gewisslich nicht da; denn wo der Glaube ist, da muss der Heilige Geist auch sein, Liebe und Güte in uns wirken.

Einmal glaubst du zwar, dass Christus ein solcher Mann ist, wie im ganzen Evangelium geschrieben und gepredigt wird; aber du glaubst nicht, dass er DIR ein solcher Mann ist, zweifelst daran, ob du solches von ihm haben werdest und denkst: Ja, er ist wohl den anderen wie Petrus, Paulus und den frommen Heiligen ein solcher Mann; wer weiß, wie er zu mir steht und ob ich dasselbe von ihm erwarten und mich darauf verlassen solle, wie diese Heiligen? Sieh, diese Art von Glaube ist nichts, empfängt noch schmeckt Christus nimmermehr, kann auch keine Lust und Liebe von ihm und zu ihm empfinden. Es ist ein Glaube von Christus und nicht nur zu oder an Christus, welchen auch die Teufel haben samt allen bösen Menschen."

DIE SCHLOSSKIRCHE

Die **Schlosskirche** mit ihrem 88 Meter hohen Turm zieht die Blicke der heranspazierenden Besucher in die Höhe. Die mit reichem Maßwerk geschmückte Kuppel soll die Kaiserkrone des protestantischen Kaisertums symbolisieren. Das heutige Erscheinungsbild der Schlosskirche verdankt sie den Erneuerungen in den Jahren 1883 bis 1892. Zweimal wurde die Schlosskirche zerstört, im Siebenjährigen Krieg 1760 und in den Freiheitskriegen 1814. Beim Wiederaufbau Ende des 19. Jahrhunderts wurde der innere Kern der Kirche vollkommen neu nach historischen Aufzeichnungen gestaltet und der nun weithin sichtbare Schlosskirchturm errichtet. Am Reformationstag 1892 konnte diese umgestaltete Kirche wieder neu geweiht werden.

Die Schlosskirche gehörte von Beginn an zu der aus der Anfangszeit Wittenbergs bekannten Burg. Ihr Patronat ist Allerheiligen – und ausgerechnet am Vorabend von Allerheiligen schickte Martin Luther seine Thesen gegen den Missbrauch des Ablasshandels in einem Brief an den zuständigen Bischof. Welchem Schüler hallen nicht die Hammerschläge durch das Gehör, mit denen Pater Martin, oder besser: Professor Luther, seine berühmt gewordenen 95 Disputationsthesen an das Holzportal der Schlosskirche genagelt haben soll? Aller Wahrscheinlichkeit nach gehört diese Episode protestantischer Identitätsfindung in das Reich der Legenden. Die Thesen haben wohl dort gehangen, aber ob es einen Thesenanschlag in der Form kämpferischer Demonstration gegeben hat, ist äußerst umstritten. Dass der letzte Oktobertag mit dem Beginn der Reformation zusammengebracht wird, liegt daran, dass Luther seine Thesen zusammen mit einem Begleitbrief an den Kurfürsten von Mainz und Erzbischof Kardinal Albrecht sandte, welcher als Datum eben den Vorabend von Allerheiligen, also den 31. Oktober 1517, trägt.

„*Gottes Gnade und Barmherzigkeit zuvor! Hochwürdigster Vater in Christo, durchlauchtigster Kurfürst! ... Es wird im Land umhergeführt der päpstliche Ablass unter Ew. Kurfürstlichen Gnaden Namen zum Bau von Sankt Peter. Ich will dabei gar nicht über der Ablassprediger großes Geschrei Klage führen, das ich nicht gehört habe. Aber ich beklage die falsche Auffassung, die das arme, einfältige, grobe Volk daraus entnimmt und die jene Prediger allenthalben marktschreierisch rühmen. Denn die unglücklichen Seelen glauben infolgedessen, wenn sie nur Ablassbriefe lösen, seien sie ihrer Seligkeit sicher; weiter glauben sie, dass die Seelen ohne Verzug aus dem Fegefeuer fahren, sobald man für sie in den Kasten einlege; diese Ablassgnade sei ferner so kräftig, dass keine Sünde so groß sein könne, dass sie nicht erlassen und vergeben werden könnte, und hätte einer selbst (das sind ihre Worte) die Mutter Gottes geschändet; endlich soll der Mensch durch diesen Ablass frei und los werden von aller Pein und Schuld. ...*

Warum machen sie also durch falsche Fabeln und Verheißungen vom Ablass das Volk sicher und ohne Furcht, wo doch der Ablass den Seelen nichts nützt zu ihrem Heil oder ihrer Heiligkeit, sondern nur die äußerliche Pein wegnimmt, die ehemals nach den Canones auferlegt zu werden pflegte? Endlich sind die Werke der Gottseligkeit und Liebe unendlich viel besser denn der Ablass, und doch predigt man sie weder mit solcher Pracht noch mit so großem Fleiß, ja der Ablasspredigt zuliebe wird von ihnen geschwiegen, und doch ist es aller Bischöfe vornehmliches und alleiniges Amt, zu sorgen, dass das Volk das Evangelium und die Liebe Christi lerne. Nirgends hat Christus befohlen, den Ablass zu predigen; aber das Evangelium zu predigen hat er nachdrücklich befohlen. ...

Diesen treuen Dienst meiner Armseligkeit wollen Ew. durchlauchtigste Gnaden würdigen, ebenso fürstlich und bischöflich, das heißt huldvoll, anzunehmen, wie ich ihn in Treue und ganzer Ergebenheit gegen Ew. Hochwürden erzeige. Denn auch ich bin ein Schäflein Eurer Herde. Der Herr behüte und bewahre Ew. Hochwürden in Ewigkeit. Amen.

Wittenberg am Abend vor Allerheiligen im Jahre 1517. So es Ew. Hochwürden gefällig ist, könnt ihr meine beiliegenden Streitsätze ansehen und daraus ersehen, wie ungewiss die Auflassung des Ablasses ist, obwohl die Ablassprediger sich einbilden, sie wäre ganz ausgemacht.“

Trauerzug auf einem Familiengemälde. Museum Luthers Geburtshaus, Eisleben

Hier ging es um hohe Theologie. Später übernahm weitgehend die Politik das Ruder. Insofern ist die Schlosskirche auch beidem sehr verbunden. Als historisierender Bau ist sie in ihrer heutigen Ansicht als eine neugotische Ruhm- und Gedächtnishalle für die Reformation gestaltet. Das Innere birgt die Gräber Friedrichs des Weisen, Philipp Melanchthons, und unter der Kanzel ist Martin Luther bestattet. Die Schlosskirche war seit der Gründung der Wittenberger Alma Mater auch Universitätskirche. Die Promotionen wurden dort feierlich vollzogen, und sie diente auch als Grablege für die Professorenschaft der Leucorea. Hinter der Kirche sind Reste des später in eine Kaserne umgebauten Schlosses erhalten.

Mit den vielen Eindrücken, den Gedanken und offenen Fragen wird man sich nun wieder der Stadt zuwenden. Es gibt noch einige reizvolle Ecken in Wittenberg zu entdecken. Diese laden zum Verweilen ein. Auf dem Weg durch die historischen Gassen kann man sich reichlich Gedanken um und über das Geschehen machen, welches diese Stadt so geprägt hat. Wer war diese Figur Martin Luther? Welche Menschen haben ihn begleitet, geliebt, gehasst, bewundert oder verachtet? Welches Gottesbild hat ihn geprägt, und wie hat er es für die Nachkommenden umprägen können?

LUTHER IN WITTENBERG

Als Luther nach Wittenberg geschickt wurde, war der junge Mönch als begabter Theologe und Lehrer in der Ordensgemeinschaft bestens angesehen. In Belangen um die Lebensweise und den Grad der Strenge einzelner Klöster des Ordens der Augustiner-Eremiten war innerhalb der sächsischen Provinz ein Streit entbrannt. Pater Martin war bereits in Leitungsfunktionen eingebunden und in solcher auch nach Rom geschickt worden, um in diesen Ordensangelegenheiten zu verhandeln. Der äußerlich starke und sehr disziplinierte Klausner ließ nicht erkennen, dass innerlich seit Jahren ein heftiger Sturm in ihm tobte. Die Frage nach der Liebe Gottes beschäftigte ihn.

„Ich hebe meine Augen auf zu den Bergen, woher kommt mir Hilfe?"

Das Ich vor Gott trieb ihn um. Liebte Gott nur die Menschen, die es zustande brachten, ein untadeliges Leben zu führen? Liebte er nur jene Geschöpfe, die er von Anbeginn an für die himmlische Welt vorherbestimmt hatte? Oder konnte Gott tatsächlich den Menschen lieben, weil er als Vater aller Menschen bedingungslos liebte? Die Frage nach der Liebe Gottes löste in einer Mönchszelle Weltbewegendes aus. Diese Frage ist auch für uns heute relevant. Denn sie berührt den Grund menschlicher Existenz: Wem verdanke ich mich? Wem verantworte ich mich? Wem gehöre ich? Wem traue ich? Luther wollte mit Ernst ein guter Mönch sein, suchte aufrichtig, ein Leben nach dem Evangelium zu leben. Allein, es fehlte ihm Glauben. Als er diesen von Gott bekommen hatte, wurde ihm die Laxheit der damaligen Kirche eine wahre Anfechtung. Dieser tiefe christliche Ernst konnte Luther motivieren, den Verantwortlichen die Stirn zu bieten. Ein Papst Leo aus der Familie Medici verstand diesen Ernst nicht. Er konnte nicht nachvollziehen, welche Kraft im Glauben des Augustiners Luther steckte. Für ihn war das Evangelium eine Fabel – für Luther war es Urgrund seiner Existenz.

Die Spannungen entluden sich, als Kardinal Albrecht von Brandenburg, der schon 1513 im Alter von nur 23 Jahren Erzbischof von Magdeburg und Administrator des Bistums Halberstadt geworden war, 1514 auch noch das Mainzer Erzbistum und die damit verbundenen Privilegien erhielt. Durch das Kirchenrecht war es eigentlich auch damals schon streng verboten, mehr als einen Bischofssitz innezuhaben. Aber um genau das zu erreichen, häufte Albrecht immense Schulden auf – der Erwerb der zwei weiteren Bistümer kam ihn zunächst teuer zu stehen. Das Geld hatte er sich bei den Fuggern geliehen. Um diese Schulden abtragen zu können, übernahm Albrecht den Verkauf der Ablasszettel, mit denen Papst Leo X. einen „Plenarablass" und damit die völlige Vermeidung der Fegefeuerstrafen erlassen hatte, um den Bau der neuen Petersbasilika in Rom finanziell zu verwirklichen. Albrecht durfte die Hälfte der Einkünfte behalten. So sollten bei dieser unheiligen Liaison von Glauben, Gier und Größenwahn alle Seiten gewinnen. Den Verkauf der Ablässe gab er den Dominikanern in die Hände. Die unlauteren „Vertriebsmethoden" seines Magdeburger Agenten, des Predigermönches Johann Tetzel, brachten das Fass schließlich zum Überlaufen. Luther schrieb fast 25 Jahre später über Tetzel:

„Es geschah im Jahr, da man 1517 schrieb, dass ein Predigermönch
mit Namen Johannes Tetzel, ein großer Schreihals,
welchen zuvor Herzog Friederich hatte zu Innsbruck vom Sacke erlöset.
Derselbige Tetzel führet nu das Ablaß umher und verkauft
Gnade ums Geld, so teur oder wohlfeil er aus allen Kräften vermocht.
Zu der Zeit war ich Prediger allhie im Kloster und ein junger Doktor,
neulich aus der Esse kommen, hitzig und lüstig in der Heiligen Schrift.
Als nu viel Volks von Wittemberg lief dem Ablaß
nach gen Jüterbog und Zerbest etc. und ich
(so wahr mich mein Herr Christus erlöset hat) nicht wußte,
was das Ablaß wäre, wie es denn kein Mensch nicht
wußte, fing ich säuberlich an zu predigen, man könnte wohl Bessers tun,
das gewisser wäre, weder Ablaß lösen."

Stadtkirche St. Marien, Wittenberg.
Detail des Cranach-Altars, Abendmahlsszene.
Johannes an der Brust Christi. Petrus fragt:
„Herr, bin ich's?", und Judas ist am Gehen,
um den Verrat zu Ende zu bringen.
Den Geldbeutel hat er schon in der Hand

Tetzel konnte nur deshalb solchen Erfolg haben, weil den Menschen in den Ländern des damaligen Deutschland die Sache mit dem Glauben sehr ernst war. Der Klerus war aber vielerorts sowohl in der Leitung als auch in der konkreten Gemeindewirklichkeit wenig daran interessiert, Menschen von der vergebenden Liebe Gottes zu erzählen. Wer also an den Zustand der Kirche am Vorabend der Reformation denkt, wird sofort eine Reihe von Bildern vor Augen haben, welche dem Wesen und dem Auftrag der Kirche und ihrer Diener nicht entsprachen: die Verwahrlosung des Klerus, der Verfall der Disziplin in vielen Klöstern, der Missbrauch des Ablasses, die Pfründeschacherer, die Häufung und Käuflichkeit von geistlichen Ämtern, die feisten, üppigen, genussreichen, leitenden Prälaten, der Missbrauch von Kirchenstrafen und nicht zuletzt die Personen, die das Papstamt in dieser Zeit bekleideten. Auch damals schon beklagten viele diese Zustände. Papst Leo X. war kein Theologe; für ihn war der Päpstliche Stuhl ein Ort, den eigenen Willen zur Machtentfaltung umzusetzen. Seine Leidenschaft galt dem Angeln und Jagen. Er regierte wie ein Staatsmann, aber er leitete nicht die Kirche. Ihm schreibt man auch das Wort zu: *„Alle Welt weiß doch, wie viel uns diese Fabel von Christus eingebracht hat."* Dieser Papst wollte sich mit dem Weiterbau des Petersdomes, dessen Grundstein von seinem Vorgänger Julius II. im Jahr 1506 gelegt worden war, ein Denkmal setzen. Um den Bau zu finanzieren, behalf er sich der Schuldigkeit Kardinal Albrechts und ließ über ihn den Ablass in Deutschland verkaufen. Die Missstände der Kirche waren offensichtlich, und von allen Seiten wurden Rufe nach Reformen laut. Schon Nikolaus von Kues sagte: *„Wir sehen eine Kirche, die noch nie so tief gesunken ist wie heute."*

Die Bestrebungen reformierenden Wirkens verliefen damals in zwei Strömungen kirchlicher Opposition. Die eine richtete sich vornehmlich gegen die äußeren Schäden und Missstände der Kirche, gegen die mannigfachen Erscheinungen des Verfalls. Die andere hingegen entsprang einer größeren religiösen Tiefe und verlangte nach einer Verinnerlichung der Religion durch die persönliche, individuelle und unmittelbare Erfahrung Gottes. Diese beiden Entwicklungen und die gegebenen Zustände ergaben die höchst explosive Mischung, an deren Lunte schon einige gezündelt hatten, die aber erst mit der Veröffentlichung der 95 Thesen Martin Luthers entfacht worden war. Luthers Gebet: „Ich hebe meinen Augen auf zu den Bergen, woher kommt mir Hilfe?" war hineingerufen in eine besinnungslose Kirche und eine berstende Epoche.

„Drei Dinge muss ein Mensch wissen, dass er selig werden möge. Das Erste, dass er wisse, was er tun und lassen soll. Zum Anderen, wenn er nun sieht, dass er es nicht tun noch lassen kann aus seinen Kräften, dann soll er wissen, wo er's hernehmen und suchen und finden soll, damit er das tun und lassen könne. Zum Dritten, dass er wisse, wie er es suchen und holen soll. Gleichwie bei einem Kranken zuerst nötig ist, dass er wisse, was seine Krankheit ist, was er tun oder lassen darf oder nicht. Danach muss er wissen, wo die Arznei sei, die ihm helfe, dass er tun und lassen möge, wie ein gesunder Mensch. Zum Dritten muss er es begehren, es suchen und holen und bringen lassen ..."

DIE 95 THESEN

Luther hatte schon vor dem 31. Oktober 1517 mit Zorn und Leidenschaft in seiner Predigtkirche St. Marien zu Wittenberg gegen den Missbrauch des Ablasses gepredigt. Kurfürst Friedrich der Weise hatte davon gehört und war nicht sonderlich erfreut darüber. Schließlich hing er an seiner riesigen Reliquiensammlung, und das nicht allein aus religiösen Gründen. Immerhin: Johannes Tetzel durfte Kursachsen nicht betreten und predigen, wohl aber auch deshalb, weil Friedrich die Ablassgelder lieber im eigenen Land wissen wollte.

Für Luther stand nicht einmal der Ablass an sich in Frage. Sein Protest galt vielmehr dem offensichtlichen Missbrauch, der damit getrieben wurde. Das wird auch in den Thesen selbst deutlich. So lautet etwa These 71: *„Wer wider die Wahrheit des apostolischen Ablasses redet, der sei Anathema* *[verflucht] und vermaledeit.“* Jedoch sprach er die Missstände ebenfalls sehr deutlich aus. So schreibt er in These 82: *„Warum entledigt der Papst nicht alle Seelen zugleich aus dem Fegefeuer um der allerheiligsten Liebe willen und von wegen der höchsten Not der Seelen, welches doch die allerwichtigste Ursache ist, während er unzählig viel Seelen erlöst um des elenden Geldes willen für St. Petrus Münster, welches doch die geringfügigste Ursache ist?“*

Das, was Luther schon von der Kanzel gepredigt hatte, fasste er nun in den 95 Thesen in lateinischer Sprache ab. Sie waren keine revolutionäre Kampfschrift, sondern ein scharfsinniges, gelehrtes, wenn auch etwas polemisch formuliertes Positionspapier. Die Thesen waren für einen Expertenkreis bestimmt, was auch erklärt, dass Luther sie mit einem Begleitschreiben an Erzbischof Albrecht schickte. Doch die Thesen verfehlten ihre Wirkung nicht. Der Text wurde rasend schnell aus dem Lateinischen ins Deutsche übersetzt, veröffentlicht und vervielfältigt. Die allgemeine Diskussion hatte begonnen. Luther war über die Wirkung selbst äußerst erstaunt, aber er hatte wohl die wundeste Stelle getroffen. Er sagte später: *„Die Thesen liefen in vierzehn Tagen durch ganz Deutschland, denn alle Welt klagte über den Ablass.“*

Begünstigt wurde die Verbreitung auch durch den jüngst von Gutenberg erfundenen Buchdruck mit beweglichen Lettern.

Ob nun Luther die Thesen mit Hammer und Nagel an die Kirchentür der Schlosskirche am Vorabend ihres Patroziniums angeschlagen hat oder ob er sie lediglich nach Halle zu Albrecht von Brandenburg geschickt hat, wird sich vermutlich nie klären lassen. Auch wenn das historisch nicht so wichtig ist, ist für die gegen-

Thesentür an der Wittenberger Schlosskirche (in dieser Form gestiftet von Preußenkönig Friedrich Wilhelm IV. anlässlich des 375. Geburtstags Martin Luthers am 10. November 1858)

wärtige Wahrnehmung Luthers doch die Frage nach den Geschehnissen im Herbst 1517 relevant, denn die womöglich fiktiven Hammerschläge vertonen einen anderen Martin Luther, als er bis heute in seinen Schriften erklingt und er sich selbst je gesehen hat. Darauf lässt zumindest das folgende Zitat schließen:

„Es ist mancher ein großer Heil'ger, aber es kann geschehen, dass er schwächer im Glauben wird als ich. Also kann mir Gott auf diese Stunde einen hohen starken Glauben schenken, aber wieder, ehe man sich umsieht, sinken lassen, den Glauben irgendeinem großen Sünder geben.
Warum tut er denn solches, dass er seine Heiligen nicht immer im starken Glauben gehen lässt?
Darum, dass sie nicht stolz werden oder meinen,
sie hätten's von ihm selbst, und sich selbst zum Gott machen.
Darum, dass er Gott sei, sich selbst erkennen, und in der Demut bleiben,
die will er haben, nicht allein von uns, sondern von den allerhöchsten Heiligen, auch seiner eigenen Mutter, es müssen sich alle aufs Tiefste herunterlassen und sagen, ich bin nichts und vermag nichts.“

Luther ging es mit seiner Theologie allein um Gottes Wahrheit und um sein persönliches Heil. Er lehrte im vollen Einverständnis mit der Kirche und ihrer Praxis, deckte aber die Missstände schonungslos auf. Seine Theologie gründete darauf, dass Gott Gott und der Mensch Mensch sei und dass dennoch um Jesu Christi willen Gott den Menschen vor seinem Angesicht gelten lassen wolle. Sicherlich hat er bei seiner Bibelauslegung dem Apostel Paulus den Vorzug vor allen anderen biblischen Büchern gegeben, wobei er auch bei Paulus noch einmal eine begrenzende Auswahl getroffen hat. Sicherlich kann man dem Theologen Luther auch viele Schwächen in seiner Theologie – gerade in Wittenberg – nachweisen. Beispielsweise, dass er in seiner theologischen Erkenntnis immer von der Erfahrung her argumentierte, vom Ich ausging und die Frage nach dem Menschen vor Gott stellte.

Und sicherlich kommen schließlich auch die persönlichen Schwächen des großen deutschen Reformators hinzu, seine Schwermut, sein Jähzorn, seine Polemik gegen Papst, Juden und Muslime und sein unberechenbares Temperament. All das mag den Professor Luther streitbar, aber eben auch angreifbar machen. Aber kein Heutiger mag je beurteilen oder gar abstreiten, dass Wittenberg einem einfachen Mönch in seiner Suche nach dem gnädigen Gott zum Berg Tabor wurde, zu dem er aufblickend ehrlich beten konnte: *„Ich hebe meine Augen auf zu den Bergen, woher kommt mir Hilfe …"*

Psalm 121 – Ein Wallfahrtslied.

Ich hebe meine Augen auf zu den Bergen, woher kommt mir Hilfe?
Meine Hilfe kommt vom HERRN, der Himmel und Erde
gemacht hat.
Er wird deinen Fuß nicht gleiten lassen,
und der dich behütet, schläft nicht.
Siehe, der Hüter Israels schläft und schlummert nicht.
Der HERR behütet dich;
der HERR ist dein Schatten über deiner rechten Hand,
dass dich des Tages die Sonne nicht steche, noch der Mond des Nachts.
Der HERR behüte dich vor allem Übel,
er behüte deine Seele.
Der HERR behüte deinen Ausgang und Eingang von nun an
bis in Ewigkeit!

EISENACH

„*Unsere Seele ist entflohen wie ein Vogel aus der Schlinge des Vogelstellers; die Schlinge ist zerrissen, und wir sind entkommen!*" (Psalm 124, 7)

Lutherhaus bzw. Haus der Familie Cotta, Eisenach

Die Stadt Eisenach, im Westen des heutigen Thüringens, wurde für Luthers Leben zweimal sehr bedeutsam. Sie war ihm in seiner Kindheit und als geächteter Theologieprofessor sicherer Schutz, aber auch gleichzeitig einsames Exil.

> „*Unsere Seele ist entflohen wie ein Vogel aus der Schlinge des Vogelstellers; die Schlinge ist zerrissen, und wir sind entkommen.*"

Luther mochte diese Stadt am Rande des dunklen Thüringer Waldes. Eisenach blieb für ihn immer seine „liebe Stadt". Exil und Zuflucht – Zwang und Freiheit. Diese Spannung wurde im Leben Luthers wichtig. Wie oft versuchte er, den politischen und gesellschaftlichen Zwängen zu entfliehen. Eisenach war ihm eben beides.

EXIL UND FLUCHTBURG

Zuflucht wurde ihm die Stadt schon früh im Leben, in der Zeit als Schüler. Nach der Mansfelder Zeit zunächst in Magdeburg eingeschult, wurde er nach einem Jahr nach Eisenach geschickt. Vermutlich war er bei Verwandten untergekommen. Die Eisenacher Georgenschule führte die schulische Laufbahn des jungen Martin dort weiter, wo sie in Mansfeld und Magdeburg aufgehört hatte. Hier wie dort war es üblich, dass die Schüler nicht nur im Chor der Kirche, sondern auch vor den Häusern der Bürger sangen und dafür beschenkt wurden.

Dieses schulische Exil war für den jungen, kränkelnden Martin zunächst eine schwere Zeit. Aber das sollte sich ändern. Denn der Knabe hatte mit seiner schönen Stimme auf sich aufmerksam gemacht, sodass sich eine wohlhabende Familie, der Überlieferung nach die Familie Cotta, seiner annahm, die zu den angesehensten, aber auch den frömmsten Bürgern der Stadt Eisenach gehörte. Im Hause der Familie trafen sich Laien und Kleriker zum geistlichen Miteinander. Bibelgespräche, geistlicher Austausch und Gebet prägten diese Treffen. Die Familie Cotta war auch der größte Förderer des Franziskanerklosters in der Stadt, in welchem die heilige Elisabeth besonders verehrt wurde. Die drei Jahre, die Luther als Kind unter der Wartburg verbrachte, waren die glücklichsten im Leben des Reformators. Das **Haus der Familie Cotta** wird heute mit dem Lutherhaus identifiziert. Das Gebäude ist längst nicht mehr erhalten, doch wurde das Haus nach allen Zerstörungen originalgetreu wiederaufgebaut. So ist es eines der ältesten erhaltenen Fachwerkhäuser Eisenachs. Das mächtige Haus mit seinen vier Geschossen beherrscht den davorliegenden Platz mit seiner Präsenz. Einige Reliefs an den Außenmauern weisen auf die Bedeutung für das Leben Martin Luthers hin. Während der Schulzeit von 1498 bis 1501 wird er in diesem Haus gewohnt haben. Es gibt zwei Lutherstübchen, die besichtigt werden können. Nach Beseitigung der Schäden des Zweiten Weltkrieges befindet sich seit 1956 im Haus eine Luthergedenkstätte. Die Ausstellung zeigt den Werdegang und das Werk Luthers. Schwerpunktmäßig wird dabei natürlich die für Eisenach wichtige Bibelübersetzung gezeigt, und welchen Einfluss Martin Luther auf Bildung und Erziehung gehabt hat.

„Oh Herr und Gott, was sind wir, wenn du uns fallen lässt? Was machen wir, wenn du die Hand abtust, was können wir, wenn du nimmer leuchtest? Ist das der freie Wille und sein Vermögen, dass so bald aus dem Gelehrten ein Kind, aus dem Klugen ein Narr, aus dem Weisen ein Wahnsinniger wird? Wie schrecklich bist du in all deinen Werken und Gerichten!' Wohlan, liebe Herren, lasst uns wandeln im Licht, solang wir's haben, dass uns die Finsternis nicht auch ergreift, und merke doch, wer da merken kann ..."

EISENACHS GESCHICHTE

1180 wird Eisenach erstmals urkundlich erwähnt. Die heutige Stadt Eisenach geht in ihrer Entstehung auf drei einstmals eigenständige Marktsiedlungen zurück. Es gab den Sonnabendmarkt (den heutigen Karlsplatz), weiterhin den Mittwochmarkt (dort, wo heute der Frauenplan ist) sowie den Montagsmarkt auf dem heutigen Marktplatz. Die günstige Lage an wichtigen Fernhandelsstraßen ermöglichte die rasche Entwicklung von Handel und Gewerbe.

Die schon viel ältere Wartburg wurde Ende des 12. Jahrhunderts Hauptsitz der Landgrafen von Thüringen. Unter den für die Geschichte Deutschlands wichtigen Personen, die hier lebten, ist besonders die heilige **Elisabeth von Thüringen** hervorzuheben. Diese wohnte mit ihrem Ehemann Ludwig von Thüringen auf der Wartburg und gibt dem Psalmvers: „Unsere Seele ist entflohen wie ein Vogel aus der Schlinge des Vogelstellers; die

Schlinge ist zerrissen, und wir sind entkommen" ein Gesicht. Sie gründete zu Beginn des Jahres 1226 ein Hospital am Fuße der Wartburg und half dort auch selbst tatkräftig mit.

Elisabeth führte für eine Landgräfin ein sehr einfaches, ja ärmliches Leben. Nachdem sie ihren Mann im Kreuzzug verloren hatte, verließ sie die Wartburg und lebte das Armutsideal, das ihr im heiligen Franziskus vor Augen stand. Sie floh vor dem Reichtum und der Missgunst ihrer Verwandtschaft in die bitterste Armut. Nach einigem Hin und Her kam sie mit 21 Jahren für ihre drei letzten Lebensjahre nach Marburg. Dort arbeitete sie als Spitalschwester.

Neben Elisabeths Hinwendung zu den Niedrigsten und Schwächsten der mittelalterlichen Gesellschaft haben ihre Zeitgenossen auch immer ihre Selbstverleugnung sowie ihren Gehorsam, ihre Liebe, ihre Geduld und Leidensbereitschaft hervorgehoben. Dass in der mittelalterlichen Wertevorstellung der Demut als der vornehmsten unter den christlichen Tugenden eine besondere Bedeutung zukam, war dabei nicht unerheblich. Wie weit die Armutsvorstellungen des Franziskus indirekt über die heilige Elisabeth Einfluss darauf hatten, dass Martin Luther sich ebenfalls für einen klösterlichen Weg der radikalen Armut entschloss, muss hier wohl offenbleiben. Wichtig ist, dass die Wartburg zwei Menschen Heimat war, die nach Vollkommenheit vor Gott strebten: Elisabeth war sie das bedrohliche Exil, Luther sichere Zuflucht.

EIN WICHTIGES ZENTRUM

Eisenach war immer schon ein Zentrum des Handels, des Handwerks und vor allem der Kunst. Am Hofe des Landgrafen Hermann von Thüringen befand sich der Mittelpunkt des Minnesangs und der Dichtkunst im Reich. Die Blütezeit des Landgrafensitzes auf der Wartburg endete im Jahr 1405. Später sollte Eisenach wieder eine fürstliche Residenz beherbergen, allerdings in der Stadt selbst und nicht auf der Wartburg.

Johann Sebastian Bach im Jahr 1746, mit Rätselkanon. Ölgemälde von Elias Gottlob Haußmann

Stadtschloss zu Eisenach

Die Barockzeit hat in Eisenach ihre Spuren hinterlassen – durch ihre architektonische Präsenz und durch prominente historische Personen. Ein Name ist für immer mit Eisenach verbunden: Johann Sebastian Bach. Er wurde am 21. März 1685 hier geboren. Aber auch andere Größen der Barockmusik wie Johann Pachelbel, Johann Christoph Bach und Georg Philipp Telemann wirkten als Organisten und Hofkapellmeister in Eisenach. Für den heutigen Besucher sind das **Bachhaus** und das dazugehörige Museum von besonderer Bedeutung. Das alte, kleine Bachhaus reckt sich fast eingeschüchtert neben dem wuchtigen neuen Bachmuseum in den Himmel, ein eigenartiger Kontrast. Doch es lohnt sich, den Orten des Lebens Johann Sebastian Bachs einen Besuch abzustatten.

Wichtige Namen sind mit der **Georgenkirche** verbunden. Neben Martin Luther wurde auch Johann Sebastian Bach hier getauft. Die Georgenkirche war für die nicht mehr bestehende evangelisch-lutherische Kirche Thüringens die Bischofskirche. Ein wunderschöner, weiter Platz lässt die Kirche besonders wirkungsvoll zur Geltung kommen. Der Bau spiegelt die Epochen der Geschichte wider; viele Baustile, aber auch Narben aus den Kriegen haben ihre Handschrift an der Georgenkirche hinterlassen.

Die Stadt Eisenach ist eine einladende und ansehnlich herausgeputzte Stadt. Der Weg durch die Altstadt, über den Marktplatz mit dem Georgsbrunnen und der großen Georgenkirche, lässt erkennen, dass Eisenach als Residenzstadt im 18. Jahrhundert mehr und mehr auch zur Kulturstadt wurde. Als architektonisches Symbol dieser besonderen Blütezeit gilt das von 1742 bis 1751 am Markt erbaute **Stadtschloss.**

Am 1. September 1810 kam es zu einem tragischen Unfall: Bei einer Pulverexplosion im Rahmen der Napoleonischen Kriege gab es 60 Todesopfer und schwere Schäden in der Stadt. Daran erinnert noch heute der Schwarze Brunnen in der Georgenstraße. Besonders wichtig wurde Eisenach für die deutsche Geschichte noch einmal 1817 mit dem Wartburgfest der Allgemeinen Deutschen Burschenschaft. Dies fand mit etwa 500 Teilnehmern statt. Ein weiteres Wartburgfest folgte 1848. Diese Feste gehören untrennbar zur demokratischen Entwicklung Deutschlands.

LUTHER AUF DER WARTBURG

Auf der Rückreise von Worms predigte Martin Luther in der Eisenacher Georgenkirche. Kurz danach fand eine spektakuläre und arrangierte Entführung auf dem Weg von Möhra nach Wittenberg statt. Denn Luther war wegen seiner Äußerungen und seiner Haltung geächtet. Jeder, der ihm habhaft werden könne, müsse ihn festnehmen und dem Kaiser überstellen oder ihm die Gefangennahme melden, so lautete der Befehl. Dasselbe solle mit seinen Anhängern und Förderern geschehen, deren Güter diejenigen erhalten sollten, die so mit ihnen verführen. Ferner dürfe keiner Luthers Schriften behalten, weitergeben, kaufen, verkaufen, abschreiben oder dru-

cken. Zuwiderhandlungen würden wie Majestätsverbrechen geahndet. Kurz: Luther war in Gefahr. Die Erinnerung an das Schicksal des Prager Priesters Jan Hus, der 1415 in Konstanz mitsamt seinen Schriften verbrannt worden war, war noch nicht erloschen. So entstand die Idee einer vor-

Die Verbrennung des Jan Hus, Spiezer Chronik 1485

Wartburg

getäuschten Entführung, ein Plan, den nicht etwa der Kurfürst ausgeheckt hatte. Der befürwortete die Sache zwar, aber er wusste vorher nicht, wann und wo alles geschehen sollte. Martin Luther weihte nur wenige der engsten Vertrauten ein, so etwa den Maler Lucas Cranach, dem er von unterwegs schrieb: *„Ich lasse mich eintun und verbergen, weiß selbst noch nicht wo."* Seine „Verschleppung" war der Beginn eines zehnmonatigen Aufenthalts (4. Mai 1521 bis 1. März 1522) auf der **Wartburg** über Eisenach. Zuflucht und Exil, Freiheit und Gefangenschaft, die langen Wochen auf der Burg waren Luther sein „Patmos" – der Verbannungsort des Apostels Johannes. Er schrieb Briefe an seine Freunde „aus der Wüste", flehte darin: *„Betet alle für mich, denn ich werde in Sünden versenkt in dieser Einsamkeit".* Eine Zeit, die ihm körperlich wie seelisch viel abverlangte. So musste sich auch das für Martin Luther selbst bewähren, was er lehrte, dass nämlich Gottes Verheißung gegen momentane Erfahrungen stehen mag, aber deshalb ihre Gültigkeit nicht verliert: *„In der Natur ist Erfahrung die Ursache, warum wir*

Die Taufe Jesu durch Johannes in der Pegnitz.
Im Hintergrund sieht man Nürnberg, und anwesend sind die Reformatoren Hus,
Luther, Melanchthon, Jonas. Dargestellt in Luthers Geburtshaus in Eisleben

hören. Sie geht der Zustimmung voraus. In der Theologie aber folgt die Erfah-
rung der Zustimmung ..."

Er wird die Psalmen wieder und wieder gebetet haben: „laqueus contriutus est, nos erepti sumus – das Netz ist zerrissen, wir sind frei!" Die erzwungene Einsamkeit stürzte ihn in neue Anfechtungen. Die gewohnte brüderliche Umgebung des Klosters fehlte ihm. Der geregelte Tagesablauf zwischen klösterlichem Gebet und universitärem Lehrbetrieb war ihm eine Stütze gewesen. Die Wartburgzeit war eine nicht minder durchkämpfte Zeit als die in der Erfurter oder Wittenberger Klosterzelle. Was hatte er da nächtelang gerungen. In Wittenberg war es zu seinem „Turmerlebnis" gekommen, durch das ihm die Gerechtigkeit Gottes plötzlich kein Feind mehr, sondern zum Evangelium von der bedingungslosen, gerecht machenden Liebe Gottes geworden war. Wenige Wochen vor seinem Tod wird er dieses Erlebnis wie folgt beschreiben – seine Seele war entflohen wie ein Vogel aus der Schlinge des Vogelstellers:

„Ich aber fühlte mich, obwohl ich als Mönch ein untadeliges Leben führte, vor Gott als einen von Gewissensqualen verfolgten Sünder, und da ich nicht darauf vertrauen konnte, Gott durch Genugtuung versöhnt zu haben, liebte ich nicht, sondern ich hasste förmlich jene gerechte, die Sünder bestrafende Gottheit. Denn ich sagte mir: als ob es nicht genug wäre, dass die elenden Sünder, die schon durch den Fluch der Erbsünde ewiger Verdammnis preisgegeben sind, nach dem Gesetz des Alten Bundes allen erdenklichen Strafen heimgesucht werden, wenn nicht Gott durch das neue Evangelium die Qual noch vermehrte, indem er auch durch die Botschaft des Neuen Bundes uns nur seine zürnende und strafende Gerechtigkeit ankündigt.

So marterte ich mich in der Strenge und Verworrenheit meines Gewissens; dabei aber brütete ich unablässig über jenem Ausspruch des Apostels, dessen Sinn ich mit glühender Begierde zu enträtseln suchte. Bis nach tage- und nächtelangem Nachsinnen sich Gott meiner erbarmte, dass ich den inneren Zusammenhang der beiden Stellen aufmerksam wurde: ‚Die Gerechtigkeit Gottes‘ wird im Evangelium offenbar’ und wiederum: ‚Der Gerechte lebt durch seinen Glauben‘. Da fing ich an, die Gerechtigkeit Gottes zu begreifen, kraft deren der Gerechte aus Gottes Gnade selig wird, nämlich durch den Glauben: dass die Gerechtigkeit Gottes, die durch das Evangelium offenbart wird, in dem passiven Sinne zu verstehen ist, dass Gott in seiner Barmherzigkeit uns durch den Glauben rechtfertigt, wie geschrieben steht: ‚Der Gerechte lebt aus Glauben‘. Nun fühlte ich mich geradezu wie neugeboren und glaubte, durch weit geöffnete Tore in das Paradies eingetreten zu sein. Ich ging dann die Heilige Schrift durch, soweit ich sie im Gedächtnis hatte und fand in anderen Wendungen den entsprechenden Sinn: So ist das ‚Werk Gottes‘ dasjenige, was Gott in uns wirkt, die ‚Stärke Gottes‘ das, wodurch er uns starkmacht, die ‚Weisheit Gottes‘, durch die er uns weise macht, und so ist auch die ‚Kraft Gottes‘, das ‚Heil Gottes‘, die ‚Ehre Gottes‘ aufzufassen. Je lebhafter ich also bisher das Wort von der ‚Gerechtigkeit Gottes‘ gehasst hatte, umso liebevoller musste ich nun diese gnadenreiche Vorstellung umfassen, und so hat mir jener Ausspruch des Apostels in der Tat die Pforten des Himmels erschlossen.“

Die Schlinge ist zerrissen – wir sind entkommen, wir sind frei. Diese Erkenntnis, die so erzählerisch daherkommt, hat er erkämpft, ergriffen und verinnerlicht. Diese Erkenntnis des Mönches Pater Martin war der Grund dafür, dass der Professor Luther im Exil die Geschicke der Zeit verfolgen musste. In dieser Situation überfielen ihn Zweifel, ob er allein weise sei und ob nicht vielleicht er sich im Irrtum befinde und eben darum auch viele andere mit in den Abgrund der Verdammnis gerissen habe. Er klagte sich an, stellte sich in Frage und stritt mit dem Teufel: *„Der Teufel disputierte heute Nacht mit mir und klagte mich an, dass ich ein Dieb sei, weil ich den Papst und so viele Klöster beraubt hätte. Aber ich wollte ihm nicht antworten und sagte: Lecke mich im Arsch. Da hörte er auf. Sonst kann man ihn nicht loswerden.“*

Er bezichtigte sich selbst der Trägheit und Trunksucht, der Faulheit und Völlerei. Für einen strengen Mönch liegt das an der Grenze des Erträglichen. Er litt unter Verdauungsstörungen, Schlaflosigkeit und Schwermut. In einem Brief schreibt er: *„Ich, der ich brünstig sein sollte im Geist, bin brünstig im Fleisch, Geilheit, Faulheit, Müßiggang und Schlafsucht“*.

Er hat dies alles als Angriffe des Teufels – des listigsten aller Vogelfallensteller – gesehen und mit Gebet und Arbeit gehen ihn gekämpft. So waren es schreckliche Monate für ihn. Die Lawine war losgetreten – Doktor Luther als Junker Jörg inkognito und ohnmächtig auf der Wartburg gebunden.

EINE PRODUKTIVE ZEIT

Luthers Zeit auf der Wartburg war aber auch von hoher Produktivität geprägt. So begann er damit, das Neue Testament aus dem Griechischen und Lateinischen – Kenntnisse der alten Sprachen hatte bei seinem Freund Philipp Melanchthon vertiefen können – ins Deutsche zu übersetzen. Diese Übersetzung war dabei keinesfalls die erste deutsche Bibelübersetzung. Davor gab es bereits viele andere, und Luther dürfte sie auch gekannt und womöglich benutzt haben, auch wenn sie weder viel Verbreitung erfahren hatten noch von der Kirche offiziell anerkannt waren. Das Besondere an

Luthers Übersetzung war, dass er damit der deutschen Sprache Impulse gab, die sich enorm auf die Sprachentwicklung ausgewirkt haben. Sein Verdienst ist, dass er durch seine Bibelübersetzung die Heilige Schrift zu einem Volksbuch gemacht hat. Kein Buch, das verschlossen mit sieben Siegeln nur von Geistlichen und Gelehrten zu lesen ist, sondern das Wort Gottes als Wort für jedermann. Jeder, der der deutschen Schriftsprache kundig war, konnte darin lesen, und den anderen konnte in ihrer eigenen Sprache daraus vorgelesen werden.

Man kann Anfragen an Luthers Bibelverständnis stellen, Deutungen, die sich in der Zeit der anbrechenden Konfessionskonflikte als autoritative Aussagen entlarven. Auf der Suche nach der „Mitte der Schrift", nach dem, was „Christum treibet", bleibt Martin Luther äußerst selektiv. Einige Schriften bewertet er sehr hoch: *„Das Evangelium des Johannes und die Briefe des Paulus, insbesondere der an die Römer, und der erste Brief des Petrus sind der rechte Kern und das Mark unter allen Büchern, welche auch billig die ersten sein sollten."* Andere wiederum wertet er extrem ab, weil sie nicht in sein theologisches Denken passen. Der Jakobusbrief und der Hebräerbrief wie auch die Offenbarung machten ihm zu schaffen, sodass er Jakobus und Hebräer im Kanon seiner Bibelausgabe umstellte und nach hinten verlegte. Gerade der Jakobusbrief, der davon redet, dass Glauben und Tun untrennbar ver-

Wartburg

Der Palas der Wartburg

bunden sind: *„Was hilft's, liebe Brüder, wenn jemand sagt, er habe Glauben, und hat doch keine Werke? Kann denn der Glaube ihn selig machen?"* (Jakobus 2,14) ist für Luther *„eine recht strohene Epistel". „Darum will ich ihn nicht in meiner Bibel in der Zahl der rechten Hauptbücher haben."* Ob und wie weit dieser Umgang mit der Bibel ein innerer Widerspruch in Luthers Theologie ist, soll hier nicht umfassend beantwortet werden. „Sola scriptura" – allein die Schrift – kann nur für die ganze Schrift gelten.

Der heutige Besucher der Wartburg sieht die Burg sehr verändert. Als Zufluchtsort Luthers sah sie anders aus, denn die großen Zeiten als Sitz der Landgrafen von Thüringen waren längst vorbei, und die Wartburg war zu einer eher unbedeutenden Nebenresidenz geworden.

Einige Teile der Burg sind noch aus mittelalterlicher Zeit erhalten, so beispielsweise die Vogtei, gleich rechts nach dem Burgtor der Anlage, die auch die Lutherstube birgt. Ebenfalls aus dem Mittelalter ist der große spätromanische Palas, das Landgrafenhaus. Seine unteren Geschosse mit den heimeligen kleinen Fenstern sind zwischen 1180 und 1200 entstanden, das obere Stockwerk vermutlich um das Jahr 1250. Im Inneren des Palas befinden sich in dieser Reihenfolge: Rittersaal – Speisesaal – Arkade – Elisabethkemenate. Besonders sehenswert ist die Kapelle, die als gotischer Bau errichtet worden war. Im ersten Geschoss des Palas befindet sich der Sängersaal, im zweiten Geschoss der reich ausgemalte und historisierend gestaltete große Festsaal. Mit dem Südturm bildet der Palas die einzig erhaltenen mittelalterlichen Gebäude der Hauptburg.

Die meisten Gebäude verfielen in der Zeit nach 1560. Nach langen Diskussionen entschied man sich im Jahr 1853 dafür, die Burg im historistischen Stil wiederaufzubauen. Sie war im 19. Jahrhundert zum Nationaldenkmal

Lutherstube

geworden, nachdem 1817 (im Gedenken an die Thesenveröffentlichung Luthers) und 1848 die Wartburgfeste abgehalten worden waren und sich die politische wie geistige Entwicklung in Deutschland mehr und mehr dem sich verwirklichenden Nationalstaatsgedanken verpflichtet wusste. Personen wie Martin Luther wurden gerade in ihrer Abgrenzung zu außerdeutschen Autoritäten – wie etwa dem Papst – zu Helden der nationalen Idee instrumentalisiert. Insofern ist und bleibt die Wartburg ein Ort, an dem die Geschichte Deutschlands in der Spannung zwischen aller Schönheit und aller Brüchigkeit deutlich werden kann.

Luthers Einheitsgebet:

O Du ewiger, barmherziger Gott,
Du bist ein Gott des Friedens, der Liebe und der Einigkeit,
nicht aber des Zwiespalts.
Weil aber Deine Christenheit Dich verlassen hat
und von Deiner Wahrheit gewichen ist,
hast Du sie sich teilen und trennen lassen,
auf dass sie mit ihrer vermeintlichen Weisheit
in der Uneinigkeit zuschanden würde
und zu Dir zurückkehre, der Du allein Einigkeit gibst.

Wir armen Sünder bitten Dich:
Du wollest durch den Heiligen Geist
alles Zerstreute zusammenbringen,
das Geteilte vereinigen und ganz machen, auch uns geben,
dass wir Deine einige, ewige Wahrheit suchen,
von allem Zwiespalt abweichen,
dass wir eines Sinnes und Verstandes werden,
der da gerichtet sei auf Jesum Christum, unsern Herrn,
damit wir Dich, unsern himmlischen Vater,
mit einem Munde preisen und loben mögen
durch unsern Herrn Jesum Christum im Heiligen Geist.

Amen

Auch Luther selbst bleibt eine Figur, die zwiespältig wahrgenommen werden muss. Ein aufrichtiger, ehrlicher Mönch, dem sein Heil und die Liebe zu Gott über alles gingen, aber auch ein Taktiker, ein Choleriker, der die Gunst der Stunde genau zu nutzen wusste, um seine Ziele – und es war nicht immer um des Evangeliums willen – durchzusetzen. Diese innere Spannung eines Mannes, der auf der Suche nach Gott ist und in sich selbst gefangen blieb, drückt sich in seiner Umdichtung des Psalms 124 aus:

Der 124. Psalm: „Nisi quia Dominus erat in nobis"

Wär Gott nicht mit uns diese Zeit,
So soll Israel sagen,
Wär Gott nicht mit uns diese Zeit,
Wir hätten musst verzagen,
Die so ein armes Häuflein sind,
Veracht von so viel Menschenkind,
Die an uns setzen alle.

Auf uns ist so zornig ihrn Sinn,
Wo Gott hätt das zugeben,
Verschlungen hätten sie uns hin
Mit ganzem Leib und Leben,
Wir wärn als die ein Flut ersäuft
Und über die groß Wasser läuft
Und mit Gewalt verschwemmet.

Gott Lob und Dank, der nicht zugab,
Dass ihr Schlund uns möcht fangen.
Wie ein Vogel des Stricks kommt ab,
Ist unser Seel entgangen,
Strick ist entzwei und wir sind frei,
Des Herren Namen steht uns bei,
Des Gotts Himmels und Erden.

Tabernakel in Form einer Taube im Kloster Helfta

Die Geschehnisse der angebrochenen Reformation gingen indes weiter. In Wittenberg grämte sich lediglich Philipp Melanchthon über die erzwungene Abwesenheit Martin Luthers. Seine übrigen Anhänger hatten längst damit begonnen, die neue Lehre energisch in sichtbare Gestalt umzuwandeln. Professor Karlstadt übernahm die Führung. Als Erstes wurde der Gottesdienst verändert: Die Predigt in deutscher Sprache bildete nun den Mittelpunkt, das Abendmahl wurde in Gestalt von Brot und Wein der Gemeinde gereicht, und die ersten Priester ließen sich verheiraten. Das Augustinerkloster in Wittenberg verlor durch massenhaften Austritt die meisten der betenden Brüder. Letztlich kam es zu Tumulten in der Stadt.

Als Luther auf der Wartburg davon erfuhr, reiste er heimlich nach Wittenberg, um sich selbst ein Bild machen zu können. Was ihn erwartete, fasste er so zusammen: *„Was ich sehe und höre, gefällt mir alles ausgezeichnet. Der Herr stärke den Geist derer, die es wohl meinen."*

Was ihm nicht gefiel, war die Tendenz, dass man Priester, die am römischen Glauben festzuhalten beabsichtigten, mit Gewalt recht „martinisch" machen wollte. Karlstadt, Luthers Doktorvater, radikalisierte seine eigenen reformatorischen Absichten. Er legte den Priesterhabit ab, heiratete, hielt Gottesdienst in Straßenkleidern und zettelte den ersten Bildersturm der lutherischen Reformation an. Diese sollten sich noch vermehrt ereignen.

Die Klöster heirateten sich gegenseitig leer, viele fanden den Tod, weil sie am alten Glauben festhielten, und die Unruhen wuchsen sich immer mehr aus.

Wappen derer von Sickingen

Gegen den Rat des Kurfürsten verließ Martin Luther schließlich Anfang März 1522 die Wartburg und zog wieder in seine Zelle im Schwarzen Kloster zu Wittenberg ein. Er brachte das Gemeindeleben in ruhigere Bahnen. Zwar wurde das Abendmahl auch unter Luther in beiderlei Gestalt gereicht, aber die Menschen konnten nun frei wählen, ob sie den Gottesdienst in alter oder neuer Form feiern wollten.

Spätestens in jenem Frühling begann das Reformanliegen eines suchenden Mönches – der sich in der Schlinge des Vogelfängers wähnte – umzuschlagen. Die notwendige theologische Reform der Kirche kippte nun in die politische Reformation des Reiches. Die Ritterschaftsbewegung unter Ulrich von Hutten und Franz von Sickingen formierte sich und gab sich kämpferisch. Das Ziel war eine tief greifende Umgestaltung des Reiches, die natürlich vor allem die Festigung des eigenen Standes gegenüber Rom und dem Kaiser garantieren sollte. Eine Vielzahl der theologischen Forderungen Luthers ließ sich für die politischen Interessen der Ritter und Landesherren nutzen. Allen voran ging dabei die Zerschlagung, Beseitigung und Plünderung geistlicher Herrschaften der Bistümer und der Klöster. Welche Verbrechen hier im Namen des Evangeliums begangen wurden, wird ein blinder Fleck in der Reformationsgeschichte bleiben. Die vielen Toten aller Lager lassen sich jedoch niemals gegenseitig aufrechnen. Von Hutten und von Sickingen hatten unter dem Motto „Evangelium, Freiheit, Gerechtigkeit" zum Kampf gegen die Fremdbestimmung und für deutsche Selbstständigkeit aufgerufen. Sie strebten die Bildung einer deutschen Nationalkirche an.

UNRUHE UNTER DEN BAUERN

Ähnlich wie bei den Rittern erhoben sich nun auch unter den Bauern Unruhen. Sie beriefen sich ebenso auf Luther-Schriften und gingen zum gewaltsamen Schlag gegen die vorhandenen Zustände an. *„Ein Christenmensch ist ein freier Herr über alle Dinge und niemand untertan. Ein Christenmensch ist ein dienstbarer Knecht aller Dinge und jedermann untertan."* Angefacht durch diese Summa von Luthers Schrift „Von der Freiheit eines Christenmenschen" begann nun die Bauernbewegung ihren Aufstand im Süden und Südwesten des Reiches. Von dort erfasste sie bald den ganzen Raum bis hinauf nach Thüringen. Die Bauern wurden teilweise von erfahrenen Rittern angeführt, wie Götz von Berlichingen und Florian Geyer. Zunächst waren es Forderungen und Petitionen der Bauern, die auch umgesetzt werden konnten, bald aber kam es zu offener und brutaler Gewalt, und die Landesfürsten mobilisierten ein Landsknechtsheer.

Luther mahnte beide Seiten zur Mäßigung. Er reiste in die Gebiete, wo Kämpfe stattfanden, und predigte dort. Doch dies konfrontierte ihn mit bittersten Erfahrungen. Zum ersten Mal wirkten seine Worte und sein Predigen keinen Erfolg. Sein Grundkonzept – „Non vi humana, sed verbo" – „nicht mit menschlicher Kraft, sondern durch das Wort" – erwies sich für ihn erstmals als wirkungslos. Er wurde während der Predigt unterbrochen, verspottet und missachtet.

Nun holte Luther zum Schlag aus. Als sein Buch „Von der Freiheit eines Christenmenschen" in eine weitere Auflage ging, schrieb Martin Luther eine Ergänzung: „Wider die Mordischen und Reubischen Rotten der Bawern", ein Pamphlet, das von Luther selbst an Abscheulichkeit nie mehr überboten wurde. Anhand von Psalm 7 brüllte er seine Wut hinaus, die in jeder Zeile glüht. Dies lässt sich nur mit der wilden Entschlossenheit eines Mannes erklären, der seine eigene Revolution retten will, gegen die Feinde von außen und gegen die Feinde, die sich im Namen eben derselben Revolution gegen ihre ureigenen Widersacher erheben. Die Fürsten metzelten daraufhin die Bauern nieder. Dabei hielten sie sich sehr genau an Luthers Worte, der schreibt: *„Die Obrigkeit soll hier getrost fortfahren und mit guten Gewissen dreinschlagen, solange sie einen Arm regen kann; solche wunderliche Zeiten sind jetzt, dass ein Fürst mit Blutvergießen den Himmel gewinnen kann, besser als andere mit Beten. Darum, liebe Herren, erlöset hier, rettet hier,* *helft hier, erbarmt euch der armen Menschen: Steche, schlage, töte hier, wer da kann!"*

Der Besucher mag mit diesen Gedanken den Blick von den Zinnen der Wartburg ins Thüringer Land schweifen lassen. Wie in Wittenberg bleibt auch hier ein fauliger Nachgeschmack. Wer hatte recht? Die Fürsten, die Bauern, Luther, der Kaiser? Der Kampf um die Freiheit entfesselte den Krieg. Jeder meinte, Gott auf seiner Seite zu haben. „Wäre der Herr nicht bei uns ..." Wer kann das beantworten? Der Pilger auf den Spuren des Martin Luther wird sich dieser Frage nicht entziehen können. Gerade weil Luther sich diesen Fragen ebenfalls ausgesetzt hat und sie mehr oder weniger gut zu beantworten wusste. Wer hat nun recht? Luther nahm für sich in Anspruch, anhand der Bibel erkannt zu haben, was das Evangelium sei und dass die Kirche seit Hunderten von Jahren irre. Er nahm diese Erkenntnis für sich in Anspruch, sprach aber gleichzeitig jenen, die ebenso argumentierten – dass sie nämlich Gottes Wort neu ergriffen und verstanden hätten – den Bauern, Täufern und „Schwärmern", genau diese Erkenntnis ab. So ist der theologische Konflikt schon 1522 ein Konflikt der Autorität geworden. Wer kennt die Wahrheit und wo ist die Freiheit?

Psalm 124 – Ein Wallfahrtslied.

Wäre der HERR nicht bei uns – so sage Israel –,
wäre der HERR nicht bei uns, wenn Menschen wider uns aufstehen,
so verschlängen sie uns lebendig, wenn ihr Zorn über uns entbrennt;
so ersäufte uns Wasser, Ströme gingen über unsre Seele,
es gingen Wasser hoch über uns hinweg.
Gelobt sei der HERR, dass er uns nicht gibt zum Raub in ihre Zähne!
Unsre Seele ist entronnen wie ein Vogel dem Netze des Vogelfängers;
das Netz ist zerrissen und wir sind frei.
Unsre Hilfe steht im Namen des HERRN,
der Himmel und Erde gemacht hat.

EISLEBEN

„Ich ließ meine Seele ruhig werden und still. Wie ein gestilltes Kind bei der Mutter, so ist in mir meine Seele gestillt." (Psalm 131, 2)

Geburtshaus Luthers in Eisleben

Jeder begonnene Weg mündet ins Ankommen. Jede Pilgerreise hat einen Endpunkt. Wie eine Linse die Lichtstrahlen bündelt, so laufen Gedachtes, Gegangenes und Gefühltes ihrem Brennpunkt zu. Ob man das vormals gesteckte Ziel tatsächlich erreicht hat, das steht auf einem anderen Blatt, aber man kommt an. Irgendwo. Bestenfalls dort, wohin man sich aufgemacht hat, andernfalls an unbekannten Orten zu ungeplanter Zeit. Aber ein Ankommen gibt es. Martin Luther hat sein Leben in Eisleben begonnen und beendet. Er ist dort angekommen, wo er aufgebrochen war. *„Wir sind Bettler, das ist wahr"*, das sollen seine letzten geschriebenen Worte gewesen sein. Eisleben, Startpunkt und Endstation einer turbulenten Pilgerschaft. Es mag fast erscheinen, als sei es zufällig Eisleben. Denn beide Male war sein Aufenthalt nur von kurzer Dauer. Am 10. November 1483 wurde Luther in Eisleben geboren, und am 18. Februar 1546 starb er dort. Von Eisleben hatte Luther selbst nicht viel mehr als ein paar blasse Erinnerungen aus Erzählungen, es blieb ihm eine Durchgangsstation. Deshalb galt für ihn Eisleben nicht vornehmlich als sein Geburtsort. Allerdings war ihm Eisleben, und vor allem die Petrikirche in unmittelbarer Nähe seines Geburtshauses, als der Ort wichtig geworden, an dem er, gerade mal einen Tag alt, die Taufe empfangen hatte. Die Gewissheit, zu Christus zu gehören und sein Eigen zu sein, war dem Mönch und Lehrer Martin Luther äußerst wichtig. Das berühmte „Baptismus sum" – „Ich bin getauft!" war ihm in Kreidebuchstaben auf dem Schreibtisch das Banner gegen jede Anfechtung des teuflischen Feindes.

Zu Beginn seines Lebens hatten Martin Luthers Eltern auf der Suche nach einem besseren Auskommen in Eisleben lediglich Zwischenstopp gemacht, sodass der Säugling nur wenige Monate in Eisleben verbrachte. Und vor seinem Tod war Luther nur nach Eisleben gekommen, um bei Streitigkeiten im Hause der Grafen von Mansfeld mit den ansässigen Hüttenbetreibern zu vermitteln. Dass er hier sein Ende finden würde, hatten wohl weder er noch die geliebte Ehefrau Käthe im fernen Wittenberg gedacht.

EISLEBENS GESCHICHTE

Eisleben hat eine traurig-bewegte Geschichte hinter sich. Nach wirtschaftlichem und kulturellem Aufschwung brachen immer wieder herbe Schicksalsschläge über das kleine Städtchen herein.

Eisleben gehört zum Mansfelder Land. Am 23. November 994 wird Eisleben in einer Urkunde des späteren Kaisers Otto III. als einer von sechs Orten genannt, die bereits früher Marktprivilegien erhalten hatten. Dazu gehörte auch das Münz- und Zollrecht. Der Marktflecken, der an der Kreuzung zweier wichtiger Handelsstraßen lag, konnte sich gut entwickeln. Und im Jahr 1069 erhielt das Grafengeschlecht der Mansfelder, die ihre Stammburg in Mansfeld hatten, von Kaiser Heinrich I. das Gaugrafenamt als Lehen. Ab 1121 setzten die Grafen von Mansfeld einen Stadtvogt für die Regierung und Verwaltung der Stadt Eisleben ein. Erst viele Jahrhunderte später, ab dem Jahr 1809, hatte Eisleben dann einen selbstständigen Bürgermeister, der nicht von der Obrigkeit eingesetzt worden war.

Ein Modell zu den Umständen des Bergbaus zur Zeit Luthers, ausgestellt in Luthers Geburtshaus in Eisleben

Eisleben, Kupferstich, um 1650

In der Mitte des 12. Jahrhunderts begann man mit dem Bau der ersten Stadtmauer, die den Markt und die umliegenden Gassen umfasste. Im Jahr 1180 wurde Eisleben zur Stadt erhoben, und es wurden zwölf Ratsmänner eingesetzt, die unter der Leitung des Stadtvogts standen. Die Stadt und ihre Bürger waren verpflichtet, den Zehnt an den Grafen von Mansfeld abzugeben.

Dabei wurde für den Wohlstand der Grafschaft und der Stadt Eisleben zunehmend der Bergbau wichtig. Etwa um das Jahr 1200 wurden erstmals Kupfererzvorkommen gefunden und erschlossen. Dabei spielen der Sage nach die beiden Bergknappen Nappian und Neucke als Pioniere des Bergbaus eine wichtige Rolle. Sie sind bis heute die Symbolfiguren der Arbeit unter Tage im Mansfelder Land geblieben. Anfangs schürften die Bauern noch in den Schächten, die sich auf ihrem eigenen Land befanden, doch bald entwickelte sich daraus ein Gewerbe, das andere Strukturen erforderte. So wurde im Jahr 1215 vom Kaiser das Bergrecht den Mansfelder Grafen übertragen. Dadurch veränderte sich der Bergbau, blieb aber von besonderem Einfluss auf das Leben in der Grafschaft. Die Stadt ist heute noch geprägt von den Niederlassungen der Berghauer und deren kleinen Häuschen. Die lang gestreckten Siedlungsstraßen lassen das Gefühl einer echten Bergbaustadt entstehen. Geduckt und kleinteilig, Haustür an Haustür, bunt und lebendig wirken die Häuschen. Wie an einer Schur aufgefädelt reihen sie sich geschwungen an der Straße entlang. Die kleinen Schornsteine künden rauchend vom Leben in den Häusern, als wollten sie Geschichten in die Luft schreiben, von der Härte des Bergarbeiterlebens und der Größe und Schönheit der Welt Gottes.

KLOSTER HELFTA

„Der Fisch kann im Wasser nicht ertrinken,
der Vogel in der Lüften nicht versinken,
das Gold ist im Feuer nie vergangen,
denn es wird dort Klarheit und leuchtenden Glanz empfangen.
Gott hat allen Kreaturen das gegeben,
dass sie ihrer Natur gemäß leben.
Wie könnte ich denn meiner Natur widerstehen?
Ich muss von allen Dingen weg zu Gott hingehen,
der mein Vater ist von Natur,
mein Bruder nach der Menschheit,
mein Bräutigam von Minnen
und ich seine Braut ohne Beginnen.“
(Mechthild von Magdeburg)

Besondere Bedeutung für die Stadt Eisleben hat das **Kloster Helfta**. Als Zisterzienserinnen-Kloster gegründet, geht die ehemalige Abtei St. Maria auf die Initiative des Mansfelder Grafen Burchard I. im Jahre 1229 zurück. Die erste Gründung war zunächst in unmittelbarer Nähe des Schlosses Mansfeld errichtet worden. Zur Gründung des Klosters in Mansfeld gehörte aber damals schon das Katharinenhospital in der Nachbarstadt Eisleben. Nur rund 30 Jahre später, also 1258, verlegte man das Kloster nach Helfta, einen Ortsteil des heutigen Eisleben. Durch die drei großen Mystikerinnen, die im Hochmittelalter in Helfta lebten, wurde die Abtei als „Krone der deutschen Frauenklöster" im Reich bekannt. Die erste der drei heiligen Nonnen ist Mechthild von Magdeburg. Sie kam etwa 1260 nach Helfta. Sehr lange arbeitete Mechthild an ihrer Schrift „Das fließende Licht der

Kloster St. Marien zu Helfta **Nonne im Kloster Helfta**

Gottheit", die sie in deutscher Sprache verfasste. Als zweite ist Gertrud von Helfta zu nennen, die als einzige deutsche Frau in der Kirchengeschichte den Beinamen „die Große" erhalten hat. Diese gebildete Nonne hatte bereits um 1280 Teile einer deutschen Bibelübersetzung erstellt und vielfältige Schriften theologischen und mystischen Inhalts verfasst. Schließlich kommt noch Mechthild von Hackedorn in den Blick. Sie ist die Mystikerin mit den ungewöhnlichsten und tiefsten Visionen. Die Mitschwestern hielten ihre Bilder im „Buch der besonderen Gnade" fest, um sie späteren Generationen weiterzugeben.

> *„Gott: ‚Ich bin leichter zu erlangen als irgendetwas.*
> *Kein Faden und kein Splitter, nichts ist so klein und so gering,*
> *dass man es mit einem Willensakt an sich ziehen könnte.*
> *Mich aber kann der Mensch mit seinem bloßen Willen an sich ziehen.'"*
> **(Mechthild von Hackedorn)**

Während einer Belagerung der Stadt durch den Herzog von Braunschweig im Jahr 1342 wurden die umliegenden Dörfer, und damit auch das Kloster, zerstört, die Stadt konnte jedoch nicht eingenommen werden. Daraufhin begann man, die Stadtmauer zu erweitern. Also mussten die frommen Frauen erneut umziehen. Das Kloster wurde an den Rand der neuen Stadtbefestigung an den heutigen Klosterplatz in Eisleben verlegt. Diese Abtei „Neuen Helfta" bestand bis zum Bauernkrieg 1525. Seitdem war Helfta eine Ruine. Erst verschiedene Initiativen führten dazu, dass das Kloster ab 1996 wieder aufgebaut und neu mit klösterlichem Leben erfüllt werden konnte. Ein lebendiger Nonnenkonvent bewohnt das Kloster. Gäste sind herzlich willkommen, ob nur für ein kurzes Gebet in der Klosterkirche oder für länger als Gast in der Stille des Klosters. Ein Gästehaus und ein Hotel auf dem Gelände erfreuen mit herzlicher und benediktinischer Gast-freundschaft.

„Du Leben meiner Seele!
Du bist die Schönheit und Pracht aller Farben,
die Süße allen Wohlgeschmacks
der Duft aller Düfte,
die Harmonie aller Töne.
Du kunstfertigster Handwerker,
mildester Lehrer,
weisester Ratgeber,
gütigster Helfer,
treuester Freund.“
(Gertrud die Große, von Helfta)

Die Stadt selbst erlebt im 14. Jahrhundert eine lange Phase steten Auf-schwunges. Während der Halberstädter Bischofsfehde 1362 bewährte sich die Stadtbefestigung gegen die Belagerer. Im Jahr 1440 zählte die Stadt 530 Hausbesitzer und an die 4000 Einwohner. Mit dem Bau der Türme für St. Peter und Paul begann man 1447, für die Nicolaikirche und die Andreas-kirche 1462.

EINE STADT, ZWEI KONFESSIONEN

Wichtig für Eisleben ist natürlich, dass am 10. November 1483 Martin Lu-ther in der Langen Gasse, der heutigen Lutherstraße, geboren wurde. Als die Bürger der Stadt zwischen 1480 und 1520 eine zweite Stadtmauer um die Siedlungen errichten ließen, konnten auch die Vororte – das „Petri-viertel“, das hauptsächlich durch Landwirtschaft geprägt war, das „Nicolaiviertel", das die zugezogenen Friesen bewohnten, und die „Nußbreite", wo die Bergleute wohnten – in die Stadt eingegliedert und von der neuen, bergenden Umbauung geschützt werden. Im Jahr 1498 verwüstete ein verheerender Brand die Stadt. Drei Jahre später – 1501 – spaltete sich das Haus der Grafen von Mansfeld durch Erbteilung in die Familien Mansfeld-Vorderort, Mansfeld-Mittelort und Mansfeld-Hinterort. Das blieb natürlich nicht ohne Konflikte. Alle drei Familienzweige bauten sich Anfang des 16. Jahrhunderts in Eisleben je eine eigene Stadtresidenz. Graf Albrecht IV. aus dem Zweig Hinterort siedelte zur Belebung des Bergbaus westlich der Altstadt Berg- und Hüttenarbeiter aus anderen Gegenden Deutschlands an und verlieh dieser neuen Siedlung ebenfalls das Stadtrecht. Man nannte sie „Neue Stadt bei Eisleben". Heute heißt die Siedlung „Neustadt" oder „Annenviertel". Nun verlangte Kaiser Maximilian I. aber im Jahr 1514 von Albrecht die Aufhebung des Stadtrechtes für dieses Viertel. Albrecht widersetzte sich dieser Forderung und gründete stattdessen, um die Stellung der Stadt weiter zu stärken, das Annenkloster. Der Bau einer Kirche wurde begonnen, und Brüder des Augustiner-Eremitenordens zogen ein. Luther selbst hatte als Ordensvikar das Kloster visitiert und ab 1520 im Annenkloster die Lehre der Reformation eingeführt. So hielt sich das monastische Leben nicht mehr lange, und 1532 löste sich das Kloster endgültig auf. Während die Grafen von Mansfeld-Vorderort an ihrem katholischen Glauben festhielten, führten die Vertreter der Familie Mansfeld-Hinterort unter Gebhard VII. und vor allem Albrecht VII., der ein enger Freund Luthers war, den reformatierten Glauben ein. Das geschah 1525. Dabei wurde auch die Gründung einer evangelischen Schule neben der Andreaskirche beschlossen. Die protestantisch gewordenen Linien der Grafschaft behandelten aber ihre Untertanen nicht anders und schon gar nicht besser, als dies ihre katholischen Verwandten taten. So kam es im Zuge der Bauernkriege, an denen sich viele unzufriedene Bergleute aus Eisleben beteiligten, auch zu heftigen Tumulten in den Gebieten der reformatorisch gesinnten Grafen. Große Teile der Mansfelder Grafschaft wurden von den Bauern und Bergleuten verwüstet. Daraufhin ließ Albrecht VII. die entbrannten Aufstände blutig und mitleidslos niederschlagen. Das Schlimme dieser Konstellation

war, dass sich in den Wirren der Reformationskriege zum Teil sogar verwandte Bürger aus Eisleben und Mansfeld auf unterschiedlichen Seiten als Gegner gegenüberstanden. Während des Bauernkrieges wurden sämtliche Klöster im Mansfelder Land, unter ihnen auch das Kloster Helfta, verwüstet und zerstört. Die Mönche und Nonnen wurden vertrieben oder getötet.

PEST UND FEUERSBRUNST

1529 suchte die Pest Eisleben heim, und viele Hundert Menschen starben. Mit dem Tode des Grafen Hoyer IV. von Mansfeld-Vorderort 1540 verließ einer der einflussreichsten Gegner der Reformation im Mansfelder Land die politische Bühne. Die Streitigkeiten um Macht und Einfluss hatten die Grafenfamilie sehr umgetrieben, und Luther persönlich versuchte mehrfach, die Konflikte unter den Grafen zu schlichten. 1546 kam er zum letzten Mal in die Stadt, um unter den Adligen zu verhandeln. Dabei konnte er zusammen mit Justus Jonas am 16. Februar die Stiftungsurkunde für die erste Lateinschule Eislebens unterschreiben. Diese Schule existiert bis heute als Martin-Luther-Gymnasium. Zwei Tage später, am 18. Februar 1546, starb Martin Luther in Eisleben.

Nur vier Jahre darauf, 1550, forderte eine weitere Pestepidemie noch mehr Leben als zwanzig Jahre zuvor. Diesmal starben etwa 1500 Menschen den

Schwarzen Tod. Daraufhin verließen viele Bergleute die Stadt, sodass 1554 ein Teil der Gruben und Hütten geschlossen werden musste. Der Wohlstand begann sich zu verflüchtigen. Die Wirtschaftslage hatte Lohnsenkungen erzwungen, diese verursachten Unruhen und Arbeitsniederlegung. Ein Teufelskreis. Die Stadt erholte sich kaum noch. Als dann 1562 die Katharinenkirche abbrannte, konnte und wollte sie niemand wieder aufbauen. Schließlich waren die Mansfelder Grafen 1570 aufgrund der zahlreichen Erbteilungen, wegen maßloser Ausgaben und der schlechten wirtschaftlichen Situation völlig bankrott. Sie verloren die Hoheitsrechte über ihrer Grafschaft an Sachsen.

Sehr viel besser ging es dann auch nicht weiter. Das Jahr 1601 initiierte das neue Jahrhundert mit der schlimmsten Brandkatastrophe der gesamten Stadtgeschichte. Die kleinen, eng aneinandergeschmiegten Fachwerkhäuschen der Innenstadt bildeten ein gefundenes Fressen für das Feuer und gingen in Flammen auf. Mehr als 250 Wohnhäuser, wichtige Verwaltungsgebäude sowie die Türme der Andreaskirche wurden zerstört. Noch im Aufbau begriffen, suchte im Jahr 1626 die Pest das Städtchen erneut heim, wiederum mit etlichen Hundert Toten. Als dann 1628 der Dreißigjährige Krieg vor den Toren Eislebens stand, schien das Schicksal endgültig besiegelt. Die Stadt wurde durch die Söldner der Katholischen Liga verwüstet, viele Männer starben, die überlebenden Menschen flohen. Die Auswirkungen waren dramatisch. Sogar der Bergbau kam zum Erliegen. Zwar konnte 1635 vorläufig ein Sonderfrieden geschlossen werden, und in allen Kirchen wurden deswegen Dankgottesdienste abgehalten, doch die Ruhe währte nur sehr kurz. Schon 1636 wurde die Stadt durch die protestantischen Schweden gebrandschatzt, geplündert und verwüstet. Die Überfälle der Schweden auf die Stadt dauerten bis 1644 an. Im Jahr 1653 zerstörte ein weiterer Stadtbrand Hunderte Häuser, und 1681 kamen schließlich ein viertes Mal fast tausend Menschen durch die Pest ums Leben. Als Eisleben 1689 schon wieder brannte, wurde Luthers Geburtshaus bis auf das Erdgeschoss ein Raub der Flammen. Kurze Zeit später, 1693, wurde es wieder aufgebaut und nun als Armenschule und als Museum genutzt.

EIN RUNDGANG DURCH EISLEBEN

So sind für den Besucher – den Pilger – auf den Spuren Martin Luthers fünf Orte in der Stadt Eisleben von besonderem Interesse. Fünf Orte, die einladen, zur Ruhe zu kommen und still zu werden. Diese Orte sprechen eine eigene Sprache – jeder für sich. *„Ich ließ meine Seele ruhig werden und still. Wie ein gestilltes Kind bei der Mutter, so ist in mir meine Seele gestillt."* Das **Geburtshaus Luthers** und die Kirche **St. Peter und Paul**, die **Andreaskirche** und das **Sterbehaus Luthers**. Schließlich liegt vor den Toren der Altstadt das Zisterzienserinnenkloster **St. Marien zu Helfta**. Daneben gibt es in Eisleben noch vieles andere Sehenswerte zu bestaunen, die Nikolaikirche, das mächtige Rathaus am Marktplatz, das Waagegebäude und zahlreiche Bürgerhäuser. Doch für den Gang durch Eislebens Geschichte sollen hier die beiden Hauptkirchen Peter und Paul sowie St. Andreas, das Geburts- und Sterbehaus Luthers und das wiederbelebte Kloster Helfta im Vordergrund stehen.

Für den Weg durch Eisleben bahnt sich gleichsam ein Grundkurs in Ökumene an. Stehen doch die Apostel Petrus, Paulus und Andreas für je eine konfessionelle Tradition der weltweiten Christenheit: Ist Päpsten der römisch-katholischen Kirche der Nachfolger des Apostels Petrus als Leiter der Weltkirche zu sehen, so hört der weltweite Protestantismus in erster Linie auf die Texte des Völkerapostels Paulus. Dem Apostel Andreas fühlen sich die Christen der orthodoxen Welt besonders verbunden. Doch nicht nur die Namen, sondern auch das Leben an den Orten selbst wird das wie auch immer konfessionell schlagende Herz in die Weite und die Ruhe der einen Kirche Gottes blicken lassen. Auch wenn es noch ein sehnsüchtiger Blick von außen ist – der Weg auf die Einheit der Kirche hin ist von den Konfessionsfamilien unumkehrbar eingeschlagen. Gerade an wichtigen Stellen der lutherischen Reformation darf dieser Gedanke den gläubigen Pilger in die betende Stille führen.

Beginnt man im Süden der Altstadt Eislebens, beginnt man auf den Spuren Luthers ganz am Anfang. **Geburtshaus** und St. Petri-Paul, die Taufkirche Luthers, befinden sich in unmittelbarer Nähe zueinander. Die Taufe als das Sakrament, das zumindest für die römisch-katholische und die lutherische Tradition verbindenden Charakter hat, kommt für den Besucher besonders in den Blick. Die Kirche St. Petri-Paul bewahrt den Taufstein auf, an dem Luther am 11. November 1483 die heilige Taufe empfangen und den Namen des Tagesheiligen Martin von Tours bekommen hatte. Für Luther war die Taufe zeitlebens der Grund festester Gewissheit, zu Christus zu gehören.

Mit der Taufe beginnt für ihn das, was bis zum Totenbett aus der Liebe Christi empfangen werden darf. Luther drückt das so aus: *„Dieses Leben ist keine Frömmigkeit, sondern ein Fromm-Werden. Keine Gesundheit, sondern ein Gesundwerden. Kein Wesen, sondern ein Werden. Keine Ruhe, sondern ein Üben. Wir sind es noch nicht; werden es aber."* Und was für den einzelnen Menschen gilt, darf auch die gespaltene Christenheit glaubend erhoffen. In der Taufe sind wir eins – zwar noch nicht, aber wir werden es. Dafür gilt es alles einzusetzen, an Gebet, Gehorsam und Geduld.

Das Geburtshaus Luthers ist heute ein Museum. Viele wichtige Ausstellungsstücke aus der Zeit um die beginnende Reformation werden dort gezeigt, aber auch das Geburtshaus, wie es nach der Zerstörung 1689 wiederaufgebaut worden war. Als Besonderheit muss dem Besucher deutlich gemacht werden, dass gerade das Geburtshaus Martin Luthers ein Beispiel für die nach dem Tod des Reformators rasch einsetzende und sich intensivierende „Wallfahrt" zu den Wirkstätten Luthers darstellt. Die Meinung, das Luthertum hätte die Wallfahrt abgeschafft oder gar dämonisiert, darf ruhigen Gewissens ad acta gelegt werden. Im Gegenteil: Die Lutherverehrung mit Viten, Versen und Votiven ähnelte dem Brauchtum und der

Frömmigkeit an Wallfahrtsorten bis ins Detail. Das Museum im Geburtshaus will in das Milieu und die Zeit der Familie Luther einführen. Eindrucksvoll geben die Einzelausstellungen einen Einblick in die damaligen Arbeits- und Lebenswelten. Miniaturmodelle erlauben es, den Hauern unter Tage bei der Arbeit zuzuschauen. So sind neben Ansichten aus dem Bergbauwesen und der Lebensweise auch Ausstellungsstücke zur gelebten Frömmigkeit zu und nach Luthers Wirken zu sehen. Luthers Eltern werden wichtig und die kurze Zeit, die er als Baby in Eisleben verbracht hat.

„Ich ließ meine Seele ruhig werden und still. Wie ein gestilltes Kind
bei der Mutter, so ist in mir meine Seele gestillt."

Fragen kommen einem auf: was Hans und Margarete Luder wohl für Eltern gewesen sind. Haben sie ihrem Sohn die tiefe Frömmigkeit beigebracht, die ihn zeitlebens prägte? Waren sie liebevoll in dem Sinne, wie das Psalmwort es zu beschreiben vermag? Wie war wohl der Alltag einer kleinen Familie, in der sowohl das raue Bergarbeiterleben wie auch das feine Gelehrtenwesen zusammenkamen? Diese Fragen werden wohl offenbleiben, will man die Person und das Leben Martin Luthers nicht schon zu Beginn verklärend oder verteufelnd einspuren. Welches Gleichnis für das geistliche Leben in der Kindheit für Luther verborgen liegt, drückt er folgendermaßen aus:

„Gott muss gar grobe Äste und Späne von uns weghauen, ehe er solche Kinder
und Närrlein aus uns macht. Seht, wie feine, reine Gedanken haben
die Kinder, wie schauen sie Himmel und Tod ohne Zweifel an!
Sie sind gleichsam im Paradies …"

ORTE DER RUHE

Nach den vielen Eindrücken aus dem Museum geht der Besucher rechter Hand auf die Kirche **St. Peter und Paul** zu. Diese kleine Kirche war zeitlebens der Verbindungspunkt Luthers nach Eisleben. Die Stadt war ihm nicht in erster Linie Geburts-, sondern Taufort gewesen.

Betritt man die Kirche, sieht man einen schönen Raum einer gotischen Halle. Das Netzgewölbe an der Decke spinnt sich von Pfeiler zu Pfeiler und wird von Wappen unterbrochen. Zwei Altäre und zwei Taufsteine stehen in der Kirche. Der Stein im Ostchor ist der Taufstein Luthers. In aller Schlichtheit drückt dieser Stein die Würde des getauften Menschen aus: Gott handelt, er ist der Schöpfer und Vater von allem. Kein menschliches Wirken neben dem Gehorsam auf die Weisung Jesu, Menschen zu lehren und zu taufen, drängt sich unnötig auf. Der Taufstein ist nicht völlig im Originalzustand, er wurde mehrmals verändert und ergänzt. Daher zeugt auch dieser Stein schon von der rasch einsetzenden hohen Lutherverehrung, die sogar Züge einer Heiligsprechung trägt. So lautet doch die Inschrift auf dem Taufstein: RUDERA BAPTISTERII QUO TINCTUS EST B.MARTINUS LUTHERUS AO 1483 (Rest des Taufbeckens, darin der selige [!] Martin Luther getauft worden ist im Jahre 1483).

Auf der gegenüberliegenden Seite befindet sich der gewölbte Raum des Turmerdgeschosses. Dieser Raum ist 1904 als Taufkapelle eingerichtet worden. Der sich dort befindende achteckige spätgotische Taufstein wurde lange für den Taufstein Luthers gehalten, stammt jedoch aus der Nikolaikirche. Ebenfalls aus der Kirche St. Nikolai stammt der Altar in der Taufkapelle.

Der Annenaltar im Ostchor hingegen gehört seit jeher zur Ausstattung der Petri-Paul-Kirche. Dieser Altar weist ein wunderschönes Detail auf. In der Predella, also dem Fuß des Holzaltars, zwischen der gemalten Verkündigungsszene, wird Weihnachten dargestellt: Maria und Josef mit dem Jesuskind. Dahinter die ersten Hörer des Evangeliums von der Menschwerdung Christi, die Hirten. Wirklich Hirten? Eigentlich vermutet man ja die, die sich nach der Schau der himmlischen Herrlichkeit und der Wegweisung der Engel auf den Weg nach Betlehem gemacht hatten. Doch hier ist nun nicht irgendein Stall in der Umgebung Betlehems zu sehen, sondern der zugige Unterschlupf eines Bergarbeiters. Die Darstellung weist klare Züge des Bergbaus auf. Die Hirten sind hier Knappen mit bergmännischem Gerät, und der heilige Josef hält eine Grubenlampe. Die jungen Eltern Jesu mit dem menschgewordenen Gott in der rauen Wirklichkeit des Mansfel-

Luthers Taufstein

der Bergbaus. Dieses Bild vor Augen, haben die Eltern Luder dem kleinen Martin die Taufe spenden lassen.

Von der Petrikirche kann man durch die verwinkelten Gässchen Eislebens auf den Marktplatz zu spazieren. Atmet der Besucher vielleicht für sich die Luft eines geschichts- und theologieträchtigen Ortes, so verwundern die nackten Zahlen gegenwärtiger Statistik. Von den 22 000 Einwohnern Eislebens zählen sich gerade mal 1800 Menschen einer christlichen Kirche zugehörig. Die evangelische, die katholische und die freikirchliche Gemeinde versammeln sich unter Wort und Sakrament zwischen bedeutenden Zeugnissen einer bewegten Geschichte. Es ist ruhig geworden um Eisleben. Ebenso wie Wittenberg schlummert das Städtchen vor sich hin, sind die Besucherströme erst einmal in ihren Hotelzimmern angekommen. Der Weg führt auf den Marktplatz, der von den Türmen der stattlichen **Andreaskirche** überragt wird. Diese Kirche ist ebenfalls eine gotische Halle mit gotischem Altar. Besonders wertvoll für die Gemeinde dieser Kirche ist es, dass die Kanzel, auf der Luther bereits gepredigt hat, noch vorhanden und auch benutzbar ist.

„Wenn ich in meiner Predigt sollte Philipp Melanchthon und andere Doktoren ansehen, so machte ich nichts Gutes; sondern ich predige aufs Einfältigste den Ungelehrten, und es gefällt allen. Kann ich denn Griechisch,

Andreaskirche Eisleben   Sterbezimmer Luthers

Hebräisch, das spare ich, wenn wir Gelehrten zusammenkommen; da machen
wir's so krause, dass sich unser Herrgott darüber verwundert."

Die Predigt sollte für die lutherische Tradition von besonderer Bedeutung
werden, auch wenn das zu der merkwürdigen konfessionellen Division
führte, die protestantischen Kirchen auf den Begriff der „Kirche des Wortes" zu reduzieren und gleichzeitig die katholische Tradition als „Kirche
des Sakraments" einzudampfen. In beiden Kirchen gab und gibt es beides,
Wort und Sakrament. Natürlich fanden Schwerpunktverschiebungen statt,
jedoch bereichern sich beide Traditionen mehr und mehr. Jede christliche
Kirche braucht die Verkündigung, und jede Gemeinde braucht die Gemeinschaft im Sakrament. Christus ist als König im Wort und auf dem
Altar gegenwärtig. So sagt Luther etwa in einer Weihnachtspredigt:

„Darum ist kein andrer Anfang, fromm zu werden, denn dass dein König zu
dir komme und fange in dir an. Nicht suchest du ihn, er findet dich: denn
die Prediger kommen von ihm, nicht von dir; ihre Predigt kommt von ihm, nicht
von dir; dein Glaube kommt von ihm, nicht von dir, und alles, was Glaube in dir
wirket, kommt von ihm, nicht von dir. Wo er nicht kommt, da bleibest du wohl
außen; und wo nicht Evangelium ist, da ist kein Gott, sondern eitel Sünde und
Verderben. Darum frage nur nicht, wo anfangen sei, fromm zu werden;
es ist kein Anfangen, als wo dieser König kommt und gepredigt wird."

Der stimmige Raum der Andreaskirche lädt ein, ein bisschen länger zu
bleiben. Ankommen auf dem Weg der Pilgerschaft, das gehörte und doch

immer wieder zu hörende Wort soll nachklingen. Durch die Erinnerungen, durch die Pläne; in den Sorgen und in den Dankbarkeiten für die geliebten Menschen und für die, mit denen man sich schwertut – oder die sich mit einem schwertun –, mit dem Gewordensein und mit dem Werden: Das Wort Gottes führt in die Ruhe. Gestern und Morgen im Hier und Jetzt. Sich der Gegenwart Gottes auszusetzen, dafür ist Eisleben der richtige Ort. Überquert man die Straße, steht man vor dem **Sterbehaus Luthers**. Als er zu Verhandlungen zwischen den Grafen von Mansfeld und den Hüttenbetreibern in Eisleben gerufen wurde, diese Verhandlungen erfolgreich hinter sich bringen und sogar die Gründung einer Lateinschule initiieren konnte, war also die Stunde des berühmt gewordenen Lehrers gekommen. Drei Wochen hielt sich Luther in Eisleben auf. Währenddessen er dreimal in der Andreaskirche predigte. Er war bereits gesundheitlich schwer angeschlagen. In der Nacht vom 17. auf den 18. Februar begann sein Todeskampf. Immer wieder die Worte der Schrift zitierend: *„In deine Hände befehle ich meinen Geist; du hast mich erlöst, Herr, du treuer Gott"* (Psalm 31,6).

„O Herr und gütiger Vater, ich will weder sein noch nicht sein, weder leben noch sterben, weder wissen noch nicht wissen, haben oder Mangel leiden, allein dein Wille geschehe. Ich will nicht das Deine, ich will Dich selber haben, du bist mir nicht lieber, wenn mir wohl ist, auch nicht unlieber, wenn mir übel ist ..."

LUTHERS TOD

Die Quellen sind nicht eindeutig für diese letzten Stunden im Leben Martin Luthers. Denkt man heute daran, will man ihn wohl gerne fragen, ob seine Angst tatsächlich stille geworden ist. Bist du nun zur Ruhe gekommen wie das Kind an der Brust seiner Mutter, oder kämpfst du noch, Bruder Martin? Ich höre dich noch ringen, rätseln – rufen, wie du vor Gott stehst und ihn fragst: „Hast du mich nicht vielleicht doch dahingegeben ob meiner Untreue und Bosheit? Dahingegeben in Sünde und Verderben, seicht geschaukelt und getragen von Selbstgesprächen, in denen ich mir meine eigenen gewonnenen Weisheiten als dein persönliches Sprechen um die Ohren haue, weil ich es nicht ertragen kann, dass du in Wirklichkeit schweigst, Gott? Schweigst du in Wirklichkeit? Führe ich nur Selbstgespräche? Zur Beruhigung, Auferbauung, Seelenbetätschelung? Hast du mich dahingegeben? Bin ich verstockt? Bin ich verloren? Gerecht wäre es allemal! Hab ich mein Heil nun auf ewig verwirkt? Wo werde ich sein nach meinem Tode? Wie und was werde ich sein? Bin ich von dir nun vorherbestimmt, ein Gefäß zum Zorn und zur Unehre zu sein? Ein lebendig-totes Beispiel für den Abfall von Gott?"

Dein Ringen, Martin, hat dich zu Gott geführt. Deine Gewissheit, in den Wunden Jesu ausgekämpft zu haben, beantwortet diese Fragen. Ob du als Theologe und Reformator alles richtig gemacht hast – wer mag das beurteilen? Dass du aber als Mensch, Mönch und Magister in der barmherzigen Liebe Jesu, deines Erlösers, zur Ruhe gekommen sein magst, wer will dir das je absprechen?

Am frühen Morgen des 18. Februar starb Martin Luther. Das Haus, das heute sein Sterbehaus darstellt, wurde ebenfalls mehrfach umgebaut und in historisierendem Stil den herbeiströmenden Pilgerströmen gerecht gestaltet. In der Andreaskirche wurde Luthers Leichnam aufgebahrt, und von dort trat er seine letzte Reise nach Wittenberg an.

Der Trauerzug von Eisleben an die Elbe glich einer nicht enden wollenden

Grab Martin Luthers in der Wittenberger Schlosskirche

Getrudkapelle, Kloster Helfta

Lutherbüste in der Eislebener
Andreaskirche

Prozession. Wo der Sarg vorbeikam, läuteten die Kirchenglocken,. Doch als er nach Wittenberg kam, stand die Zeit still. Durch die Stadt wurde der Sarg mit Luthers sterblichen Überresten unter großer Anteilnahme in die Schlosskirche überführt. Dort fand Luther auch seine letzte Ruhe. Unter der Kanzel befindet sich sein Grab. Auf der Bronzetafel, die das schlichte Grab in der Wittenberger Schlosskirche bedeckt, stehen die Worte: „Hier ist begraben der Leib des Doktors der heiligen Theologie Martin Luther, der im Jahre Christi 1546 am 18. Februar in seiner Heimatstadt Eisleben starb, nachdem er 63 Jahre, 2 Monate und 10 Tage gelebt hatte." Eine suchende Seele hat zur Ruhe gefunden. *„Ich ließ meine Seele ruhig werden und still. Wie ein gestilltes Kind bei der Mutter, so ist in mir meine Seele gestillt."*

„Ich weiß niemand weder im Himmel noch auf Erden, zu welchem ich eine tröstliche Zuflucht haben könnte, als zu dir, Vater, durch Christus: Ich muss mich nackend ausziehen von allen Freunden, Werken und Verdiensten; Herr, ich habe keine Zuflucht als zu deinem göttlichen Schoß, darin der Sohn sitzt."

Andreaskirche und Sterbehaus hinterlassen ihren eigenen Eindruck beim Besucher. Nun geht der Weg vor die Grenzen der alten Stadt Eisleben – nach Helfta. Das Zisterzienserinnenkloster lebt nach etwa 450 Jahren wieder auf und wächst aus einem Keim echter und lebendiger Frömmigkeit. Wenige Schwestern aus verschiedenen Klöstern des Ordens von Citeaux sind das Glaubenswagnis eingegangen, unter der Leitung der Mutter Äbtissin Assumpta in Helfta hörend, betend und arbeitend in der Nachfolge Jesu unter der Regel des heiligen Benedikt zu leben. Die frommen Frauen sehen ihre Aufgabe darin, Christus stellvertretend für viele Menschen dankend zu loben und zu preisen und seinem Liebeswirken mit all ihren Kräften zu dienen. Das heutige Kloster erstand aus den Bruchstücken der verwitterten Ruine. Die Gebäude sind in ihrer Klarheit und Strenge klar am zisterziensischen Ideal ausgerichtet. Die neu errichteten Gebäude integrieren die Reste der zerstörten Vorgängerbauten. Wie Narben an einem lebendigen Körper sind die alten Wunden zu sehen, aber sie durften heilen. Besonders schön ist die Klosterkirche mit den Fenstern in der Ostwand. Die romanischen Mauerdurchbrüche sind in moderner Glaskunst so gestaltet, dass sie gleichsam das Grundprogramm der Mystik von Helfta im Bild wiedergeben: „Das fließende Licht der Gottheit" – das Hauptwerk der Mechthild von Magdeburg. Dieser Ort ist ein Ort des Gebets und der Ruhe. Hier zur Ruhe zu kommen, die Bundesstraße vor dem Klostertor hinter sich lassen und sich Gott nähern – dazu lädt die Gemeinschaft der Nonnen von Helfta ein. Doch nicht nur die Tatsache, dass dieses besondere Kloster in der Lutherstadt Eisleben liegt, ist von Bedeutung für den Weg auf Luthers Spuren. Dieser Orden wurde in Luthers Leben auf mehrfache Weise wichtig. Zuletzt und dann lebenslang im Jahr 1525, als der ehemalige Augustiner-Eremit Martin Luther die ehemalige Zisterzienserin Katharina von Bora zur Ehefrau nahm. Dass ihre Eheschließung ein Affront in den Augen der politischen wie theologischen Gegner war, braucht nicht eigens erwähnt zu werden. Luther liebte diese Frau wirklich und sie ihn. Die Kinder, die ihnen geschenkt wurden, waren beiden ein Geschenk Gottes.

Die Ehe im Hause Luther lief nicht so patriarchalisch ab, wie das sonst damals üblich war. Katharina Luther legte ein energisches Auftreten an den Tag, was ihrem Mann durchaus recht war. Luther respektierte seinen „Herrn Käthe". Katharina von Bora wurde dafür bekannt, dass sie ihrem Mann eine emotionale wie auch wirtschaftliche Stütze war. Sie verstand es gut, den bisweilen aufbrausenden und schwermütigen Doktor zu nehmen. Und sie führte im Schwarzen Kloster, das schon seinerzeit längst kein Augustiner-Eremitenkloster mehr war, das Leben einer Pfarrersfamilie ein. Ein bis dahin äußerst seltenes Phänomen.

Schließlich bekommt für Luther der Zisterzienserorden noch eine weitere Bedeutung. Die Theologie des großen Abtes Bernhard von Clairvaux hat Luthers Glauben, Denken und Argumentieren sehr geprägt. Von Bernhard sagt Luther: *„Ich halt Sanct Bernhard höher denn alle Münich und Pfaffen auff erden, Ich hab seines gleichen nicht gehort und gelesen. [...] Er ist auch allein werd, dass man ihnen Pater Bernhardus nenne und den man mit vleiss ansehe."*

Luther hat von Bernhard die Liebe zu Christus gelernt; die individuelle Glaubenshaltung, dass nämlich der Glaube als persönlicher Vertrauensakt in die Heilstat Christi neben der Zustimmung zur kirchlichen Lehrmeinung zu treten hat. Gerade die Christusfrömmigkeit bildet sich für den Reformator in den Schriften des großen Zisterzienserabtes heraus. Beide betonen, dass nur über das Menschsein Christi und über die Kreuzigung Christi der Mensch zur Ruhe in Gott kommen kann. Beide betonen, dass der Wille Gottes gesucht werden müsse, nicht seine Majestät. Die Erforscher der Majestät Gottes sind Eindringlinge. Bernhard und Luther sehen sich in der Schule des Paulus, dass Gott nur im Gekreuzigten sichtbar wird, es ginge darum, „nämlich Christus zu kennen und zwar als den Gekreuzigten". In den Wunden Christi kommt die Seele zur Ruhe.

Psalm 131 – Ein Wallfahrtslied.

HERR, mein Herz ist nicht hoffärtig,
und meine Augen sind nicht stolz.
Ich gehe nicht um mit großen Dingen,
die mir zu wunderbar sind.
Fürwahr, meine Seele ist still und ruhig geworden
wie ein kleines Kind bei seiner Mutter;
wie ein kleines Kind, so ist meine Seele in mir.
Israel, hoffe auf den HERRN von nun an bis in Ewigkeit!

NACHWORT

In seiner Auslegung zu Psalm 130, die anfangs bereits zitiert wurde, schreibt Luther: *„Wer Gott nicht fürchtet, der ruft nicht, dem wird aber auch nicht vergeben. Damit man Gottes Gnade erlange, ist er deshalb zu fürchten und allen zu fürchten, gleichwie er allein vergibt. Denn wer etwas anderes fürchtet als Gott, der begehrt dieses anderen Gunst und Gnade und fragt nicht nach Gott. Wer aber Gott fürchtet, der begehrt seine Gnade und fragt nicht nach allem dem, das nicht Gott ist. Denn er weiß, dass ihm niemand etwas tut, wenn Gott ihm gnädig ist."*

Der eindrucksvolle Weg durch die wichtigsten Lutherstädte Deutschlands ist an sein Ende gekommen. Von wo der Pilger aufgebrochen ist, und wo er in der Ruhe ankommt oder ankommen wird, das vermag von hier aus nicht beurteilt werden. Für die weiteren Wege, die der Gefährte Martin Luther nun im Leben des Pilgers in der Erinnerung mitgehen wird, soll ein kurzer zukunftsrelevanter Wegweiser aufgestellt werden.

„Luther kommt" – mit diesem Slogan wirbt ein Flyer zu Beginn der Lutherdekade in der Vorbereitung auf das Reformationsgedenken im Jahr 2017. Die Bibel spricht davon, dass Jesus Christus dermaleinst wiederkommen wird. „Kirche der Freiheit" – unter dieser Selbstbeschreibung versammelte sich unlängst ein Bruchteil des deutschen Protestantismus.

Aber nicht einer wie auch immer bestimmten Form einzelner Konfessionskirchen, sondern der „Kirche Jesu Christi" ist die Vollendung im Reich Gottes verheißen.

Es wird für die Kirchen in Deutschland eine ökumenische Herausforderung, das Jahr 2017 so zu begehen, dass es der Geschichte, der kirchlichen Realität und der Verpflichtung für die Einheit der Kirche gerecht wird. Es wäre allen Menschen, die sich an Jesus, den Christus, halten, zu wünschen, dass die Worte, die aus Luthers Feder kamen, tatsächlich Wirklichkeit werden könnten: *„Wir sollen Gott vor allen Dingen fürchten, lieben und vertrauen."* So mag der Pilger auf Luthers Spuren sich eines Mannes erinnern, der auf der Suche nach dem gnädigen Gott in den Wunden Jesu Christi zur Ruhe kam. Nur in ihm wird jede Konfession in die Identität der wahren Kirche hineinfinden. Nur in ihm! Das wollte Luther den Menschen seiner Zeit lehren. In diesem Punkt ist er uns heute immer noch Lehrer: solus Christus.

Bildnachweis:

© 2008 Martin Gommel: S. 2-7; S. 12; S. 16-19; S. 22-39; S. 42; S. 45; S. 46 unten; S. 46-47 Hintergrund, S. 48-50, S. 52-59; S. 63; S. 73-81; S. 82-83 Hintergrund; S. 83-90; S. 95-100; S. 108; S. 112-115; S. 116 unten links; S. 117-120; S. 124; S. 126 oben links; S. 127; S. 128 oben rechts; S. 131-141; Zeittafel Hintergrund; Umschlagklappen

pixelio: S. 41 © Dietmar Grummt

sevenload: S. 92 © JaBB

Wikipedia (gemeinfrei): S. 11; S. 15; S. 46 oben, S. 51; S. 62, S. 70; S. 93; S. 110 oben links; S. 111; S. 121; S. 126 oben rechts

Wikipedia (urheberrechtlich geschützt): S. 14 © 2008 Alexander Hauk; S. 65 © 2007 Störfix, GNU-Lizenz; S. 66 oben links © 2006 Oliver Kurmis, Creative Commons-Lizenz; S. 66 oben rechts © 2007 TomKidd, GNU-Lizenz, Creative Commons-Lizenz; S. 68 © 2007 Kolossos, GNU-Lizenz; S. 69 © 2007 TomKidd, GNU-Lizenz, Creative Commons-Lizenz; S. 82 unten © 2006 Michael Sander, GNU-Lizenz, Creative Commons-Lizenz; S. 103 © 2006 Jost Tauchen, GNU-Lizenz, Creative Commons-Lizenz; S. 106 © 2006 Robert Scarth, Creative Commons-Lizenz; S. 110 oben rechts © 2006 Michael Sander, GNU-Lizenz, Creative Commons-Lizenz; S. 116 unten rechts © 2010 Metilsteiner, Creative Commons-Lizenz; S. 128 oben links © 2005 Thomas Guffler, GNU-Lizenz, Creative Commons-Lizenz

Leider konnten nicht alle Rechteinhaber ermittelt werden.
Der Verlag dankt für Hinweise.

Textnachweis:

Die Lutherzitate sind – sofern nicht anders angegeben – aus D. Martin Luthers Werke, Weimarer Ausgabe (WA).

Bibelzitate und Lieder:
Lutherbibel 1984 : S. 9; 10; 32; 35; 67; 68; 72; 90; 91; 96; 103; 115; 121; 137; 141
Einheitsübersetzung: S. 33; 34; 122; 131; 133; 139
Elberfelder Bibel: S. 104
Münsterschwarzacher Psalter, Vier Türme Verlag, Münsterschwarzach 2003: S. 5; 7
Evangelisches Gesangbuch: S. 13 (299); S. 27-28 (518); S. 82 (362); S. 84-87 (341)